W9-BMK-228

FANTÔMES
ET LIEUX ÉTRANGES

QUÉBEC INSOLITE

Danielle Goyette

—✦—

FANTÔMES
ET LIEUX ÉTRANGES

ÉDITIONS
MICHEL
QUINTIN

Catalogage avant publication de Bibliothèque et Archives
nationales du Québec et Bibliothèque et Archives Canada

Goyette, Danielle, 1957-

Fantômes et lieux étranges
(Québec insolite)

Comprend des réf. bibliogr.

ISBN 978-2-89435-427-8

1. Fantômes - Québec (Province). 2. Lieux hantés - Québec
(Province). I. Titre.

BF1462.G69 2009   133.109714   C2009-941470-8

Édition : Johanne Ménard
Révision linguistique : Paul Lafrance
Conception graphique : Céline Forget
Mise en page : Sandy Lampron

SODEC
Québec::   Patrimoine   Canadian
                      canadien   Heritage

Gouvernement du Québec – Programme de crédit
d'impôt pour l'édition de livres – Gestion SODEC

Les Éditions Michel Quintin bénéficient du soutien financier de la
SODEC et du gouvernement du Canada par l'entremise du Programme d'aide au développement de l'industrie de l'édition (PADIÉ)
pour leurs activités d'édition.

Tous droits de traduction et d'adaptation réservés pour tous les pays.
Toute reproduction d'un extrait quelconque de ce livre, par procédé
mécanique ou électronique, y compris la microreproduction, est stric-
tement interdite sans l'autorisation écrite de l'éditeur.

ISBN 978-2-89435-427-8

Dépôt légal – Bibliothèque nationale du Québec, 2009
                    Bibliothèque nationale du Canada, 2009

© Copyright 2009
Éditions Michel Quintin

C.P. 340
Waterloo (Québec)
Canada J0E 2N0
Tél. : 450 539-3774
Téléc. : 450 539-4905
www.editionsmichelquintin.ca
09-GA-1

Imprimé au Canada

À Josée,
ma belle-sœur au grand cœur,
merci pour ton aide si précieuse

« *C'est de ta peur que j'ai peur.* »
William Shakespeare

« *Le sommeil n'est pas un lieu sûr.* »
Jean Cocteau

« *Est-ce que je crois aux fantômes ?*
Non, mais j'en ai peur. »
Marie du Deffand

Avertissement

Ce livre ne constitue en aucun cas un recueil de conseils sur les conduites à adopter si vous vous croyez victime de hantise.

Le discernement demeure toujours nécessaire.

Les faits et opinions publiés ici n'engagent en rien l'éditeur ni l'auteure et ne concernent que les témoins cités.

Certains noms et lieux ont été changés ou présentés de façon évasive dans le but de préserver l'anonymat de certains témoins.

Nous tenons également à souligner que les propos contenus dans les rubriques Le coin du sceptique ne livrent pas des «diagnostics» liés directement aux témoignages cités dans ce livre, mais tentent plutôt d'apporter une interprétation scientifique plausible à des cas de hantise similaires. Il va sans dire que certains passages de ces rubriques peuvent être liés à plus d'un cas relaté dans ce livre.

TABLE DES MATIÈRES

INTRODUCTION

———— ⋅❈⋅ ————

Prison de Québec
Plaines d'Abraham
10 janvier 1879

La journée était glaciale.
Michael Farrell avait été condamné à mort
pour meurtre.
La pendaison était fixée à 8 heures ce matin-là.
Ce serait la première exécution à la Prison de Québec.
Un petit nombre de témoins,
journalistes, dignitaires et étudiants en médecine,
avaient été invités à assister à l'événement en direct
dans la cour de la prison.
Plus de trois mille personnes s'étaient aussi massées
autour du bâtiment pour tenter d'apercevoir
la scène par-dessus les murs.
L'échafaud se dressait au milieu de la cour.
Le bourreau y faisait les cent pas nerveusement.
L'accusé s'avança.
Il remarqua au pied de l'escalier le cercueil ouvert
qui attendait son corps.
Il ferma les yeux un instant
et prit une respiration syncopée avant de monter
vers sa mort.

L'aumônier de la prison lui récita ensuite la prière
de l'agonisant.
Puis le bourreau lui passa la corde au cou.
D'un coup sec, il actionna le mécanisme de la trappe.
Le décès ne fut pas instantané.
Le corps de Michael Farrell s'agita encore
de quelques soubresauts saccadés,
au milieu des clameurs hautes et fortes
des spectateurs ébranlés.
On attendit quelques secondes le verdict.
Un médecin confirma finalement la mort du condamné.
Le bourreau hissa le drapeau noir.
Le criminel venait d'expier ses fautes devant les hommes.
Comme ce fut le cas par la suite
pour des dizaines d'autres condamnés
incarcérés à la Prison de Québec au début
du XIXe siècle[1].

À votre avis, qu'en fut-il des âmes de ces êtres
tourmentés, morts entre les murs de la Prison de Québec? Continuèrent-elles à hanter les lieux après leur
exécution? Au fil de l'éternité, ces âmes égarées cher-
cheraient-elles le repos de leur tragique souffrance?

Selon les rumeurs, les couloirs et la cour de l'ancienne
prison, aujourd'hui transformée en musée, seraient toujours sujets à d'étranges phénomènes. Même que certains employés n'apprécieraient pas vraiment d'y travailler en soirée. Des bruits suspects les font sursauter,
des objets se déplacent tout seuls. De soudaines brises
fraîches leur donnent des sueurs froides. Eh bien, il ne
s'agit pas du seul endroit où ça s'agiterait ainsi. Plusieurs
autres lieux historiques au Québec seraient hantés de la
sorte depuis tout aussi longtemps, sinon plus.

À vrai dire, les fantômes existeraient depuis aussi loin
que la terre abrite des êtres mortels. Par exemple, les

Celtes (800 à 100 av. J.-C.) croyaient déjà que les portes des différents mondes s'ouvraient chaque année, dans la nuit du 31 octobre au 1er novembre, pour permettre aux êtres de l'au-delà de revenir visiter les vivants. Ils croyaient également que certaines de ces âmes choisissaient alors de demeurer de ce côté-ci ou s'y perdaient, hantant la terre à jamais. Qu'ils soient issus de ces siècles anciens ou d'aujourd'hui, ces spectres mystérieux chevauchant le temps et la mort suscitent encore de nos jours autant de crainte que de fascination.

Certains de ces fantômes sont même très connus. Le fantôme de Néron errerait encore à Rome... Celui d'Abraham Lincoln hanterait régulièrement les couloirs de la Maison-Blanche... Les spectres d'Édouard V et du duc d'York apparaîtraient dans la tour de Londres... Même le fantôme du célèbre acteur Rudolf Valentino se pavanerait à l'occasion dans les collines d'Hollywood, aux environs de Falcon's Lair où il a vécu[2]...

Il y aussi ces fantômes plus près de nous. Ceux que nous vous invitons à côtoyer dans ce livre. Que ce soit le grand chef amérindien Ashini dont l'âme errerait près du phare de Pointe-des-Monts, le comte de Frontenac qui arpenterait encore les corridors du Château du même nom, la jeune Mary Gallagher, prostituée assassinée du Vieux-Montréal, sans oublier le fantomatique pouceux de Manseau de la route 20, désespéré de trouver le bon Samaritain qui le conduira une fois pour toutes au festival hippie qu'il a autrefois manqué à cause d'un mortel accident de la route...

À ces histoires s'ajoutent des cas troublants d'emprise et des récits de fantômes protecteurs ou d'âmes squattant d'autres lieux historiques. Vous verrez, avec quelques frissons en prime, les spectres sont souvent bien plus près de nous qu'on l'imagine !

L'EMPRISE

Lieu : Montérégie (lieu exact omis pour protéger
l'anonymat du témoin)
Apparitions : entités malsaines

*« J'étais suicidaire. Ça me disait, en moi, qu'il fallait que je
mette le feu à ma maison pour en finir une fois pour toutes ! »*
Johanne

Johanne (nom fictif) a vécu l'enfer sur terre. Il semble
que la maison où elle habitait et son emplacement étaient
envahis d'entités négatives qui la harcelaient, la pous-
saient à commettre des actes destructeurs. De tous les
cas rencontrés dans notre recherche, celui-ci constitue
l'histoire aux répercussions les plus dramatiques. Ces
âmes errantes lugubres auraient exercé leur emprise sur
Johanne afin d'utiliser son énergie de façon malsaine dans
son environnement.

« Deux médiums sont venus chez moi. Ils m'ont expliqué
qu'il y avait ici, au cœur de ma maison, un pôle négatif
permettant de faire circuler des âmes errantes néfastes,
venues de l'au-delà.

*« Ces entités ne me lâchaient plus, à tel point que j'avais
l'impression d'être en train de devenir folle. »*

C'était comme si ces entités se collaient à moi en permanence et me commandaient de faire certains gestes sans que je m'en rende compte. Je n'entendais pas de voix, je ne les voyais pas quand ça arrivait, je sentais seulement qu'il fallait que j'agisse. Une fois, j'ai senti que je devais me fracasser le visage dans un miroir. Ce n'est pas moi qui ai décidé de faire cela, c'est une force maligne qui m'a ordonné de le faire.

Durant des mois, je me suis arraché les cheveux de la tête par grosses poignées et je me suis donné des coups au visage. Je voulais mourir! Je pleurais tout le temps. Je me suis départie de mon petit chien que j'aimais tant. J'ai même eu un accident d'auto que j'avais provoqué.

J'ai aussi essayé de me pendre.

Ça disait, en moi: "J'm'haïs, J'm'haïs!"

Pire encore, j'ai même tenté de mettre le feu à ma maison. Une chance que je l'ai éteint juste à temps! Mon conjoint ne savait plus quoi penser de moi. Il se demandait bien ce qui m'arrivait. Il était inquiet. Il m'a avoué, plusieurs mois après que le problème a été réglé, qu'une fois il avait senti une main lui toucher l'épaule. Il se doutait qu'il y avait quelque chose d'étrange dans la maison, mais il ne comprenait pas et n'avait pas osé m'en parler pour ne pas me faire peur. Pourtant, si j'avais su, ça m'aurait un peu rassurée, ça m'aurait prouvé que je n'étais pas folle!»

Cette situation a duré quatre ans, de 2004 à 2008. Quatre longues années avant que Johanne s'en sorte.

 «C'est comme si quelque chose en moi me mettait une corde autour du cou. Dans mon cerveau, ça n'arrêtait pas de me dire, fais-toi mal, fais-toi mal, fais-toi mal!»

«C'était devenu trop dur pour ma santé physique et mentale. J'avais perdu 50 livres (22 kg), je ne mangeais presque plus. Je me suis retrouvée en psychiatrie, je pensais que j'étais folle et mon entourage aussi. On m'a diagnostiqué une névrose à tendance suicidaire. Pourtant, quand on m'a expliqué ce que c'était, je ne trouvais pas que ça ressemblait à ce que j'avais. On m'a même attachée à mon lit dans ma chambre d'hôpital, pour m'empêcher d'attenter à mes jours.»

Le fait d'avoir séjourné à cet hôpital psychiatrique a quand même aidé Johanne. Elle y a rencontré des intervenants qui l'ont écoutée, lui ont parlé et l'ont conseillée.

«Ils ont pris soin de moi. Et puis, j'ai fait la connaissance d'une fille qui avait vécu une situation similaire à la mienne. Elle avait perdu une amie qui semblait ne pas avoir envie de quitter la terre, elle non plus, comme les entités qui ne me lâchaient pas.»

Une apparition troublante

Avant de voir des entités, Johanne ne faisait pas le rapport entre ce qu'elle vivait et la possibilité que la maison soit hantée.

« Un certain soir, j'ai fini par comprendre clairement que quelque chose de bizarre se passait dans ma maison et que j'en étais la cible. J'ai vu une ombre dans ma chambre. Je suis certaine que c'était mon père, décédé il y a 25 ans. J'ai bien vu son visage. Je pense que mon père n'a pas accepté sa mort parce qu'il n'a pas quitté la terre comme il faut. Je ne crois pas qu'il me voulait du mal, je n'ai pas eu ce sentiment-là, mais il s'accrochait à ma vie, ça, c'était bien clair. J'ai eu l'impression qu'il errait autour de moi, l'âme en peine, comme l'expression le dit si bien. Ce soir-là, je lui ai pourtant soufflé qu'il pouvait partir, mais il n'est pas parti. Il était bien accroché ici. »

Un appel à l'aide

Exaspérée par ce qui lui arrivait et le fait que la psychiatrie ne semblait pas répondre à toutes ses questions car ses malaises persistaient, Johanne s'est tournée vers deux médiums afin qu'ils fassent la lumière sur le drame qu'elle vivait.

« J'ai fait des recherches pour tenter de trouver d'autres explications à ce que je vivais. J'ai contacté deux médiums qui m'inspiraient confiance. Je suis allée les rencontrer. J'en avais assez de souffrir, je n'aimais pas prendre des médicaments pour me soigner et je voulais une fois pour toutes recommencer à être heureuse comme je l'étais avant ces manifestations insupportables. J'avais caché sur moi un crucifix et une photo de mon père. Dès mon arrivée, les médiums m'ont souligné qu'ils savaient ce que j'avais apporté avec moi. Ils ont tout de suite su que ce que je vivais était atroce et ils disaient pouvoir m'aider. Eux, ils avaient tout su sans que je leur dise quoi que ce soit.

« Ils ont tout de suite perçu une âme errante collée à moi. »

Ils m'ont confirmé que je pouvais être heureuse mais que quelque chose hors de mon contrôle m'en empêchait. Ils ont vu en pensée tout ce que j'avais subi, en plus de mon suivi en psychiatrie. Pourtant, ils ne savaient rien de moi avant notre rendez-vous ! Ils ont tout de suite perçu une âme errante collée à moi.

Enfin, je ne me sentais plus isolée dans toute cette histoire. Ça m'a soulagée. Et je les ai trouvés très forts d'avoir pu deviner tout ce que je vivais. »

Des entités malveillantes

Les deux médiums ont découvert qu'il n'y avait pas que le père de Johanne qui hantait la maison, mais bien cinq autres spectres dont son grand-père et son arrière-grand-père. Mais le fantôme le plus inquiétant était celui d'une femme âgée, aux intentions malveillantes. Cette vieille dame reconnue pour son très mauvais caractère de son vivant aurait demeuré dans la maison voisine et aurait trouvé la mort dans un incendie. Selon les médiums, Johanne avait de bonnes raisons de s'inquiéter pour sa vie.

«J'ai aperçu deux formes blanchâtres dans ma chambre à coucher. C'est comme si elles avaient l'air mécontentes...»

«La veille de la venue des médiums chez moi, j'ai aperçu deux formes blanchâtres dans ma chambre à coucher. C'est comme si elles avaient l'air mécontentes de ce qui allait se passer. Ce n'était vraiment pas agréable. J'avais très hâte au lendemain!»

«Vous auriez pu en mourir!»

Quand les deux médiums sont finalement arrivés à la maison le lendemain, ils sont entrés dans la cour et ont tout de suite demandé à Johanne de s'éloigner, d'aller se promener. Ils ont précisé que l'énergie négative était tellement forte que sa présence à elle pouvait nuire à leur travail. Surtout que ces entités étaient, en plus, dangereusement attirées par elle.

«Je ne sais pas comment ils s'y sont pris, je les ai regardés travailler de loin et j'ai vu une colonne de lumière monter vers le ciel. C'était fort, ce qu'ils faisaient!

Quand je suis revenue à la maison, je leur ai demandé, en larmes: "Et puis, est-ce que c'est moi le problème?" Ils m'ont répondu calmement: "Mais non, ce n'était pas vous le problème, c'est réglé maintenant!" Je n'avais rien dit à personne au sujet de la venue de ces médiums chez moi. Mon frère, qui demeure dans la même ville que moi, n'était pas du tout au courant. Je ne lui en ai parlé qu'après le calme revenu. Il m'a alors raconté que ce matin-là, les meubles et la vaisselle avaient drôlement bougé dans les armoires de sa maison. L'horloge avait même cessé de fonctionner, tout comme la montre de ma belle-sœur. Les entités étaient-elles passées par là avant de se diriger vers la lumière?»

> « Mon frère m'a raconté que ce matin-là, les meubles et la vaisselle avaient drôlement bougé dans les armoires de sa maison. L'horloge avait même cessé de fonctionner, tout comme la montre de ma belle-sœur. »

Depuis, le calme s'est doucement installé dans la demeure de Johanne. Aujourd'hui, elle ne prend plus de médicament. Elle se sent bien. Depuis que ces médiums ont libéré ces âmes errantes torturées, elle s'est apaisée.

Elle se rappelle qu'autrefois aucun écureuil ni bel oiseau, sauf une grande quantité de corneilles, ne venaient dans les arbres autour de sa résidence. Maintenant, surprise, elle se réveille heureuse chaque matin... et au chant des oiseaux!

Qu'en pense la médecine ?

D'entrée de jeu, rappelons que les propos suivants, du Dr Brian Bexton, psychiatre et président de l'Association des médecins psychiatres du Québec, ne sont nullement un diagnostic du cas cité mais pourraient peut-être expliquer des cas similaires.

« En psychiatrie, les hallucinations auditives et visuelles font partie des symptômes de certains patients atteints de psychose. Précisons qu'une des différences importantes entre la névrose et la psychose, c'est que dans la première on ne perd pas le contact avec la réalité. La névrose entraîne notamment des cas d'anxiété, d'hystérie, d'obsession.

La psychose, quant à elle, est une perte de contact avec la réalité liée à une perturbation du fonctionnement de la personnalité. Elle peut prendre différentes formes telles que la schizophrénie, le trouble bipolaire, les délires paranoïaques, les troubles psychotiques brefs de quelques jours à quelques mois. La schizophrénie est une maladie psychiatrique incurable d'évolution chronique, commençant généralement à l'adolescence ou au début de l'âge adulte. Elle présente notamment des altérations de la perception de la réalité et l'apparition d'hallucinations principalement auditives. Les délires paranoïaques engendrent des idées fausses chez un patient, qui risque aussi d'avoir des hallucinations principalement auditives. Les troubles psychotiques brefs sont caractérisés par l'apparition soudaine d'un état psychotique aigu et intense chez un patient sans antécédents psychiatriques. Les hallucinations peuvent se produire à certains stades avancés de ces troubles.

Un stress psychologique, social ou environnemental peut causer de tels états. Certaines sources organiques peuvent aussi être à l'origine d'hallucinations visuelles. Ainsi, une tumeur au cerveau, une intoxication aux médicaments ou aux drogues peuvent provoquer des hallucinations. Le sevrage d'alcool ou de drogue peut également causer des hallucinations visuelles. »

CEUX QUI ONT LIBÉRÉ
LA MAISON DE JOHANNE

En septembre 2008, les deux intervenants qu'avait appelés Johanne se rendaient chez elle pour enfin libérer sa maison de ces présences. Ces deux personnes étaient notamment géobiologues (voir l'encadré page suivante) spécialisés en phénomènes paranormaux.

L'un de ces deux géobiologues nous raconte pas à pas leur intervention au domicile de Johanne.

«Lorsque Johanne nous a téléphoné, elle était paniquée. Nous l'avons tout de suite dirigée vers les services d'aide d'urgence appropriés dans un tel cas de détresse psychologique. Il faut savoir que nous ne sommes surtout pas des compétiteurs à la médecine traditionnelle. Nous offrons un service parallèle qui peut apporter un appui supplémentaire à cette médecine quand ses résultats ne sont pas concluants.

Johanne nous est revenue quelques jours plus tard. Elle tenait absolument à nous rencontrer. Mon intuition me disait que je devais lui donner un coup de main pour l'aider à apaiser cette détresse. Je sentais déjà qu'elle était sous emprise. J'ai vite vu, déjà en lui parlant au téléphone, ce qui était accroché à elle. Une entité négative en plein dans son champ d'énergie voulait l'entraîner avec elle dans la douleur.

La pratique de la géobiologie

Enseignée en Europe, en France et en Suisse principalement, la géobiologie[3] étudie l'ensemble des influences de l'environnement sur le vivant, notamment les ondes liées aux champs magnétiques et électriques ainsi qu'aux mouvements telluriques, afin de déceler la présence de courants d'eau souterrains, de réseaux métalliques, de failles géologiques, etc. Nous vivons vraiment dans un univers d'énergie.

Le géobiologue peut mesurer le taux vibratoire d'un lieu. Pour cela, il se sert notamment d'un pendule qui lui révèle ce taux d'énergie en fonction de l'échelle de Bovis. Le pendule tend vers un chiffre sur l'échelle de Bovis, qui ressemble à un rapporteur d'angle. Le tableau est gradué de 0 à 18000 unités. Un être humain en bonne forme a un taux vibratoire d'environ 8000. Une personne malade pourrait vibrer à 4000 seulement. Une maison saine affiche entre 10000 et 12000. Pour les géobiologues étudiant les phénomènes paranormaux, la joie et l'amour peuvent correspondre à 36000, et la peur et l'angoisse, à 0. Il est important de mentionner que le taux vibratoire de notre planète augmente à grande vitesse.

L'utilisation du pendule permet d'apporter une démonstration tangible aux gens plus incrédules. Il parle par lui-même. Une pollution énergétique peut affecter l'être humain, surtout lorsque cette pollution est présente dans son milieu de vie. Pour certains géobiologues spécialisés en phénomènes paranormaux, les âmes errantes peuvent constituer d'importantes pollutions énergétiques.

À la suite de notre appel, je me suis relié à cette entité pour lui parler. Je lui ai dit doucement qu'elle devait quitter cette femme, qu'elle pouvait maintenant prendre le chemin vers la lumière. J'ai demandé à cette entité si elle était d'accord. Elle m'a dit qu'elle ne connaissait pas autre chose que cette situation où elle vivait accrochée à cet être vivant. Je lui ai proposé de l'accompagner dans l'autre monde où l'attendait la paix. J'ai senti tout de suite que ça avait fonctionné. Je respirais mieux.

> «Une entité négative en plein dans son champ d'énergie voulait l'entraîner avec elle dans la douleur.»

Par contre, je me doutais bien qu'il y avait plus que cette entité dans l'environnement de Johanne. Son cas était trop dense. Si elle disait qu'elle subissait de drôles d'influences depuis quatre ans, j'avais, moi, l'impression que ce lieu était alimenté d'énergies discordantes depuis une vingtaine d'années.»

Au secours !

Bientôt, Johanne rappelait cet intervenant pour planifier une rencontre. Ce dernier la reçut avec sa collègue. Tous deux furent heureux de voir que la dame se portait mieux. Elle avait le sourire et parlait posément. À première vue, ils ont cru qu'elle n'avait plus besoin d'eux. Or, quelques semaines plus tard, Johanne les contacta de nouveau. Rien n'allait plus. Tout semblait s'être dégradé, et ses tendances suicidaires s'étaient accentuées.

«Nous lui avons alors demandé si elle se sentait bien lorsqu'elle sortait de chez elle. Johanne nous l'a confirmé. Il devenait clair pour nous qu'elle subissait les affres d'une énergie négative logée dans la maison. On en a déduit que ce qui se passait dans cette résidence avait des répercussions directes sur la santé de cette femme. Ces forces négatives étaient très destructrices. Johanne nous a invités chez elle pour voir si l'on ne pouvait agir directement sur place et nous avons accepté. Cependant, nous lui avons demandé de ne surtout pas cesser de prendre ses médicaments et de poursuivre ses rencontres avec son psychiatre et son médecin.»

«Dans les cas d'emprise, la personne parasitée déclare très souvent ne pas entendre d'autre voix que la sienne en elle-même. L'entité emprunte tout simplement la voix de cette personne dans sa propre tête pour l'obliger à commettre des actes. C'est pourquoi les personnes sous emprise ont du mal à comprendre ce qui leur arrive. Elles disent ne pas entendre de voix étrangère à la leur, mais être pourtant poussées à agir contre leur gré.»

Intervenant géobiologue

Pour Johanne, les deux intervenants allaient offrir non seulement un réconfort, mais à la fois une lumière au bout de son tunnel et un dernier recours, surtout qu'ils avaient ressenti exactement les choses qu'elle vivait, et ce, sans qu'elle en ait glissé un seul mot auparavant.

Une horde de sombres entités

Les deux géobiologues se sont finalement rendus chez Johanne. En posant le pied dans la cour de sa résidence, l'un d'eux a immédiatement ressenti une très forte oppression. Il avait énormément de mal à respirer. Il explique.

«Je ne respirais presque plus. C'était tellement lourd, ça n'avait pas de bon sens. C'était partout sur le terrain, dans la cour, autour de la maison... un large périmètre était affecté, c'était évident!

J'ai tout de suite demandé à Johanne de s'éloigner, d'aller se promener, car je la sentais très fragile et sa réaction pouvait fausser notre travail. En plus, même si nous lui avions déjà expliqué ce que nous allions faire, elle posait encore beaucoup de questions et nous avions besoin de concentration. Je sentais que l'énergie était très problématique en certains endroits du terrain. J'ai vite constaté qu'un secteur en particulier, là où se trouvait une grosse dalle de béton, alimentait la maison en énergie négative. C'était carrément la porte d'entrée de cette énergie. J'ai donc demandé à l'univers que ce lieu soit nettoyé à jamais de toutes énergies malsaines.

Ça s'est bien passé, je n'ai pas senti de résistance de leur part. Ensuite, je me suis dirigé vers la maison. J'ai demandé aux âmes qui s'y trouvaient de venir vers l'extérieur et d'accompagner les autres vers la lumière. Elles m'ont écouté sans répliquer elles aussi. En entrant dans la demeure,

Puis, tout à coup, une corneille s'est élevée brusquement d'une branche d'arbre et a quitté les lieux en croassant.

j'ai perçu ce que Johanne pouvait vivre d'éprouvant au quotidien. Il s'y trouvait une énergie très lourde qui devait drainer toute son énergie positive. C'était sombre dans toutes les pièces, c'était lourd partout!

J'ai ressenti que ce lieu-là baignait dans cette énergie malsaine depuis tellement longtemps que, même après avoir demandé aux entités de quitter, la maison en était encore imprégnée. Elle avait agi comme une éponge et aspiré tout ce qu'il y avait de plus sombre dans l'au-delà. J'ai procédé de la même façon qu'à l'extérieur, servant de canal expulseur pour cette énergie vers l'autre monde. Soudain, je me suis mis à respirer facilement et profondément.»

Après leur travail, les deux géobiologues sont allés à la rencontre de Johanne pour lui apprendre la bonne nouvelle. Ils avaient libéré sa maison et elle aussi par le fait même. Ils ont échangé un sourire complice, chargé d'émotion et de joie. Puis, tout à coup, une corneille s'est élevée brusquement d'une branche d'arbre et a quitté les lieux en croassant.

Il arrive que les manifestations inexpliquées disparaissent après le passage de médiums dans une maison dite hantée. Le psychiatre Brian Bexton nous donne son avis à ce sujet.

«Eh bien, je trouve ça très intéressant. *Go for it!* Si cela peut faire du bien à certaines personnes, allez-y! La suggestion agit parfois très bien chez certains sujets. Si l'on croit profondément à quelque chose, l'efficacité du résultat sera de 30 à 40%. Cette personne sera apaisée pour quelques semaines, même si, malheureusement, ça risque fort de recommencer. Cependant, souvent, ça ne fonctionne pas la deuxième fois.»

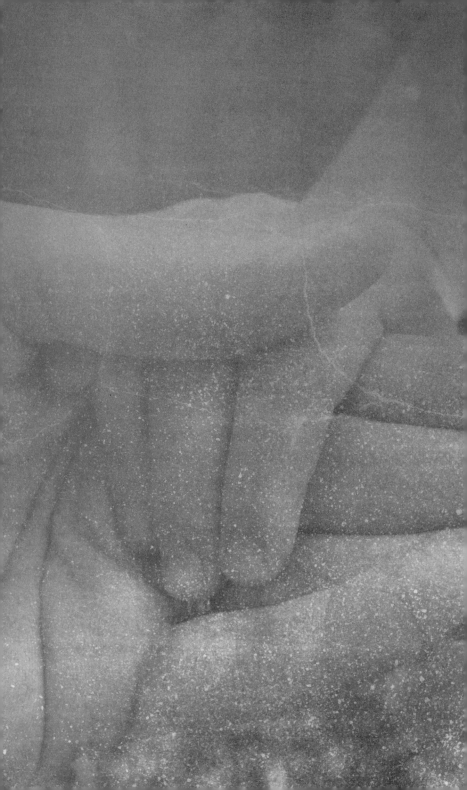

LE MEILLEUR GUIDE DE L'AU-DELÀ

Lieu : Montréal
Apparitions : père décédé

« La dame au voile noir a toujours le dernier mot.
Je jalouse sa main dans la tienne.

Si tu m'avais vue grandir...
Je donnerais ma jeunesse
pour un battement de ta vie,
pour qu'une illusion prenne un goût de réalité. »
Extrait de *Si tu m'avais vue grandir*,
paroles et musique de Connie Bancel

« Je m'étais toujours dit que pour croire que mon père
me parlait vraiment de l'au-delà, il me fallait des preuves.
Depuis, il m'en a fourni à la tonne ! »
Connie Bancel

Connie Bancel avait à peine un an et demi quand son père est décédé. Elle était encore enfant unique, sa mère étant enceinte de sa sœur. Bien qu'elle fût un tout petit bébé, Connie avait déjà tissé des liens très serrés avec son père. Mais la vie allait malheureusement le lui arracher le 16 juin 1967 et bouleverser son existence à jamais.

Connie a bien voulu partager avec nous ces quelques pages d'une très belle histoire paranormale.

« Je dois vous dire d'abord que mon père aimait beaucoup la chanson *Guantanamera*. Quand j'étais encore trop petite pour bien parler, j'appelais plutôt cette chanson *Camencamon*. Cette donnée est importante pour saisir l'ampleur de certains passages de mon histoire. »

Le père de Connie était coureur automobile. Un tragique hasard de la vie a fait en sorte qu'il meure dans un accident d'auto sur une route régulière alors qu'il n'était que passager. L'ami qui conduisait s'était endormi au volant. Tous deux revenaient d'une course automobile. Le père de Connie n'avait que 31 ans.

Pour elle, c'est à cet instant que tout a commencé.

Il ne quittera jamais cette terre...

À peine quelques jours après le décès de son père, Connie commençait déjà à ressentir des appels étonnants de l'au-delà.

« Je réveillais ma mère la nuit, toujours vers 1 h du matin – l'heure de la mort de mon père –, et ça se produisait plusieurs nuits d'affilée. Ma mère se disait que ce devait être parce que mon père me manquait et elle tentait de me rendormir.

Le jour, elle allait faire de grandes promenades pour tenter d'évacuer sa peine en respirant de l'air pur. Elle m'amenait en poussette dans des rues inconnues, errant à l'improviste. Cela faisait quelques semaines que mon père était mort quand, un jour, je la fis s'arrêter devant une maison que je lui montrai du doigt en répétant sans. cesse : "*Camencamon, Camencamon,* papa est là, papa est là !" Il semble que je faisais même des saluts de la main comme si je le voyais dans cette maison. Ma mère eut du mal à m'arracher à la vision de cette maison, car je ne voulais pas quitter les lieux. Tout de même, elle eut l'idée de noter l'adresse et d'appeler mon grand-père paternel pour lui demander s'il connaissait cette résidence. Ma mère demeura estomaquée par sa réponse.

Papa avait vécu à cette adresse quand il était bébé. »

Tel père, telle fille

La mère de Connie ne savait que penser. Ce n'était peut-être pas parce que son mari était mort qu'il n'était plus présent. Sa fille aurait-elle conservé son rapport privilégié avec lui, au-delà de la mort? Après quelques années, elle n'avait plus de doute.

« Il y avait des preuves tangibles que mon père n'avait pas brisé les liens qui nous unissaient. Par exemple, chaque 16 juin, ma sœur et moi, même toutes jeunes encore, nous nous réveillions en fredonnant *Guantanamera*. Pourtant, on le sait bien, quand un enfant n'a que deux, trois ou quatre ans, le calendrier n'existe pas encore pour lui. Et cela a continué. »

 « On m'a raconté qu'un certain 16 juin, au chalet, je n'arrêtais pas de répéter, en montrant le ciel du doigt : "Regardez, papa est dans les nuages, il me fait allo." »

Une ado pas comme les autres

À l'adolescence, Connie se mit à faire des voyages astraux, sans savoir ce que c'était. Sa mère ne lui avait pas encore parlé des anecdotes de son enfance et Connie ne baignait pas du tout dans un univers ésotérique. Pourtant, sa grande sensibilité allait la catapulter dans ce monde, bien malgré elle.

« J'avais à peu près 13 ans. Je me souviens de cet après-midi comme si c'était hier. J'étais étendue sur mon lit quand, soudain, je me suis sentie sortir de mon corps et j'ai commencé à voler dans la maison. Pourtant, je n'avais jamais entendu parler de quelque chose comme ça, je n'étais donc pas influencée par ce que je pouvais

« Notre chat s'est élancé dans mon dos, toutes griffes dehors. »

avoir lu ou entendu dire. Quand je suis passée dans la cuisine, j'ai vu, sans qu'elles me voient, ma mère et ma sœur en pleine conversation. Puis, j'ai remarqué notre chat. Tout à coup, il s'est élancé dans mon dos, toutes griffes dehors, et je me suis retrouvée aussitôt étendue à nouveau sur mon lit.

Je ne savais pas ce qui venait de m'arriver. Je suis allée tout de suite à la cuisine demander à ma mère et à ma sœur si elles étaient en train de parler de telles et telles choses. Elles me l'ont confirmé... en s'inquiétant à mon sujet !

> « Pour elle, il était maintenant clair que je communi-
> quais avec le monde de l'invisible et que je devais
> dorénavant tout savoir. »

Je leur ai expliqué que, quelques minutes auparavant, j'étais là, près d'elles, et elles ont répliqué que non, j'étais dans ma chambre !

Cela se produisit à quelques reprises. Même si je n'étais pas avec elles dans une pièce, j'entendais très bien leur conversation car mon corps astral était là, lui. C'est là que ma mère m'a tout raconté sur ce qui s'était passé dans mon enfance. Pour elle, il était maintenant clair que je communiquais avec le monde de l'invisible et que je devais dorénavant tout savoir. »

Un lien étroit avec l'au-delà

Pour Connie, le passage de l'adolescence à l'âge adulte allait être ponctué de faits tous plus étranges les uns que les autres. Bien qu'elle fût souvent seule, il lui arrivait fréquemment de ressentir des présences, des frissons et des souffles frais dans son cou à lui en donner la chair de poule. Elle n'éprouvait pas de peur, elle n'avait que l'impression d'être accompagnée. Elle en a déduit qu'elle était comme un canal permettant aux âmes de l'au-delà, par son entremise, de communiquer avec le monde des vivants. Certaines âmes se sont d'ailleurs servi d'elle pour transmettre des messages au monde terrestre.

« Je me souviens d'une anecdote assez troublante. J'avais environ 22 ans et j'étais chez les parents de mon futur conjoint. Il était très tard, 2 ou 3 h du matin. Nous étions couchés, mon amoureux et moi, mais je n'arrivais pas à dormir. Je lui ai dit alors que je sentais une énergie dans la chambre que je ne réussissais pas à identifier. Mon chum ressentait la même chose. J'avais l'impression que

«Une lumière s'est élevée de la paume de ma main et s'est évadée par la fenêtre. »

l'énergie tournait à une vitesse vertigineuse autour de nous. Soudain, mon amoureux s'est mis à avoir très froid alors que moi, j'avais très chaud. Je lui ai pris la main et j'ai serré le poing de mon autre main. C'était comme si j'avais une énergie à l'intérieur de mon corps que je ne pouvais pas contrôler. Tout d'un coup, j'ai senti qu'il fallait que j'ouvre ma main bien grande. Une lumière s'est élevée de la paume de ma main et s'est évadée par la fenêtre. Ça ressemblait à de la poussière de lumière.

Je me suis retournée et j'ai demandé à mon chum s'il avait vu ce qui venait d'arriver. Il m'a dit: "Oui, j'ai vu la lumière sortir de ta main." J'avais enfin ma preuve! Je n'étais pas folle, mais j'étais différente des autres, c'était désormais bien clair pour moi. »

« Notre maison est hantée ! »

La vie continuait. Les manifestations tout autant. Connie s'habituait à ces signes qui, selon elle, lui provenaient le plus souvent de son père. À 25 ans, elle et son premier mari achetèrent une maison à Sainte-Marthe-sur-le-Lac. Cette ville est située tout près d'Oka et de Pointe-Calumet, où l'on a répertorié plusieurs anciens sites amérindiens et certains cimetières ancestraux. Le couple s'est fait construire cette maison toute neuve qui, très vite, leur a donné du fil à retordre.

« Je me suis donc rendue dans la chambre de ma fille et, dès que j'y suis entrée, j'ai constaté que la chaise berçante berçait toute seule. »

« La maison était hantée... et très sérieusement, à part ça ! À la fin, je n'en dormais plus. Je me souviens d'une des premières manifestations. C'était la nuit. Ma première fille avait environ deux ans, et l'autre, à peine quelques mois. Nous dormions tous. Tout à coup, un bruit très étrange m'a réveillée. Je me suis vite rendu compte que ça frappait derrière moi, sur le mur, à la tête du lit. J'entendais aussi la poignée de la porte de notre chambre qui se tournait. Je me suis levée, pensant que ce pouvait être ma fille, j'ai ouvert et il n'y avait personne. Je me suis donc rendue dans la chambre de ma fille et, dès que j'y suis entrée, j'ai constaté que la chaise berçante berçait toute seule.

Je n'aimais vraiment pas l'énergie qui régnait dans la pièce. J'ai couru réveiller mon conjoint et, dès qu'il s'est réveillé, tout s'est arrêté. Ça a duré ainsi plusieurs semaines, et c'est vite devenu insupportable. J'avais l'impression que l'invisible riait de moi dans ma propre maison. Je n'en dormais plus. Je paniquais! Je ressentais de plus en plus la présence d'esprits négatifs envahir la maison, et ça devenait infernal. Même ma plus jeune fille voyait fréquemment dans sa chambre une femme bizarre aux longues tresses noires qu'elle appelait Kin. J'entendais des glissements de pas sur les tapis un peu partout dans la maison. Et la chaise berçante continuait de bercer toute seule!»

Une nuit, Connie entendit chanter dans la chambre de l'une de ses filles. Elle est allée voir. Elle a vite reconnu ce qu'elle entendait; c'était cette fantasque rengaine populaire que l'on entonne souvent quand on se moque de quelqu'un: «Gnan gnan gnangnan gnan...»

«Le son venait du côté gauche de la chambre, alors que du côté droit j'ai entendu une voix d'homme murmurer: "Tais-toi, elle vient d'entrer dans la chambre." Pourtant, je ne voyais absolument personne!

Mon mari était sorti et j'étais seule à la maison avec mes deux filles. J'ai alors entendu frapper, mais frapper très violemment sur le mur derrière moi. Et ça ne s'arrêtait pas.

« Là, j'ai eu vraiment peur ! Ça dépassait toutes les limites. Enfin... jusqu'à la prochaine soirée, pire encore. »

Quand je suis allée voir, il n'y avait personne. Je n'en pouvais plus ! J'ai appelé mon conjoint pour qu'il revienne à la maison. Il avait vu sortir la lumière de ma main, il savait que je ne fabulais pas. Peu après son retour, nous parlions dans la salle de bains. Je lui expliquais ce qui s'était passé. Moi, j'étais debout. Lui, assis sur le couvercle refermé de la toilette. Il a tout à coup crié bien fort : "Bien là, s'il y a des esprits dans la maison, j'aimerais ça savoir si vous êtes là !" Ça a frappé trois gros coups bien forts sur le mur juste derrière lui. Comme de grands coups de masse. Il avait eu sa réponse ! »

On lui draine son énergie

Connie se sentait toujours mal à l'aise dans cette maison. Elle devenait de plus en plus agressive et n'acceptait pas ces présences malsaines. Elle consulta donc une médium qui pourrait l'aider à comprendre ces âmes négatives. La dame lui expliqua que plus elle était agressive, plus elle alimentait en énergie négative ces entités. Elle l'assura qu'elle pouvait les chasser de sa maison en utilisant la douceur et la sympathie. Et ça a fonctionné. Le calme est enfin revenu dans sa demeure. Connie se remit à respirer librement, jusqu'à ce que la vie lui apportât un autre lot de difficultés.

Son mari allait la quitter. À partir de ce moment-là, la jeune femme pressentit de nouvelles présences spectrales autour d'elle, qui toutefois ne lui inspiraient rien de négatif.

« Les portes d'armoires s'ouvraient toutes seules, j'entendais des sons légers qui me confirmaient une présence et je me doutais que c'était mon père. Je ne ressentais aucune agressivité, même qu'une certaine paix m'enveloppait. Mon voisin m'avait donné une grosse lampe de poche avec laquelle j'aurais pu assommer un vilain qui entrerait dans la maison. Eh bien, elle tombait sans arrêt par terre dans la commode d'entrée. Des portes s'ouvraient régulièrement, même quand elles étaient fermées à clé, et ainsi de suite. Par contre, je vivais assez bien avec ces phénomènes qui se déroulaient sur une base régulière, car je ressentais toujours cette présence comme amicale. »

Des signes qui parlent

Avec le temps, Connie allait apprivoiser sa nature exceptionnelle. Elle l'utiliserait souvent à bon escient.

« J'ai finalement appris à demander des signes à l'au-delà. Et ça marche. Souvent, je me lève le matin et un objet précis a été déplacé dans la maison en réponse à ma question. Par exemple, un jour, j'étais seule à la maison ; mes filles étaient chez leur père. Dans ce temps-là, ma plus vieille avait une colombe. Je me suis rendue dans sa chambre pour aller prendre soin de l'oiseau et j'ai été étonnée de constater qu'il n'était pas dans sa cage, dont la petite porte était ouverte. Il faut préciser qu'à l'époque je correspondais avec un prisonnier américain qui était condamné à mort. La fameuse colombe volait librement dans la chambre de ma fille. Quelques semaines plus tard, je recevais une lettre de mon correspondant m'apprenant qu'il n'était plus condamné à mort, car on avait enfin trouvé un témoin qui prouvait qu'il n'avait jamais commis le crime duquel il était accusé.»

Quant au père de Connie, il venait régulièrement lui faire signe quand elle se questionnait sur les choses de la vie.

«Je savais que mon père venait de me parler!»

«Ma plus jeune fille était allée passer des examens d'admission dans des écoles secondaires privées. Elle tenait à être acceptée dans un collège en particulier. J'ai donc demandé à mon père de m'envoyer un signe pour savoir si elle serait ou non acceptée. La journée où je lui ai posé cette question, je roulais en voiture quand j'ai aperçu par hasard sur le trottoir un petit groupe d'élèves en costume de ce collège. J'ai ensuite allumé la radio et qu'est-ce que j'ai entendu? La chanson *Guantanamera*! En plus, j'ai soudain ressenti une profonde impulsion qui me poussait à changer de station radio. Je l'ai fait et ce que j'ai entendu m'a fait monter les larmes aux yeux. Le commentateur était en train de dire: "Dans cette course automobile, Roger..." et je ne me souviens plus de la suite. Mais ce que je sais, c'est qu'il venait de dire le prénom de mon père. Je savais que mon père venait de me parler! Quelques semaines plus tard, ma fille était bel et bien acceptée dans ce collège.»

Une amie a besoin d'aide

Bien que Connie ne parle que très peu de ce qu'elle vit, certaines de ses collègues de travail sont au courant. L'une d'entre elles est venue un jour la voir, dans tous ses états. Son regard affichait une grande peur. Connie nous raconte cette singulière anecdote.

 «Il lui a soufflé soudain : "Est-ce que tu vois l'homme au pied du lit ?"»

«Cette collègue venait de s'acheter une maison à Pointe-Calumet, et il était clair que ça n'allait pas bien. Elle m'a dit qu'elle avait de sérieux problèmes dans cette maison. La nuit précédente, quelque chose l'avait sérieusement apeurée, qu'elle me raconta. Elle était au lit avec son amoureux qui, lui, dormait à poings fermés. Il est important de mentionner que ce dernier ne croyait pas du tout aux phénomènes paranormaux. Elle s'est réveillée en sursaut et a vu au pied du lit la forme d'un homme aux bras grands ouverts qui la regardait, la tête penchée de côté. Paniquée, elle s'est tournée vers son conjoint pour le réveiller, quand celui-ci lui a soufflé dans son sommeil: "Est-ce que tu vois l'homme au pied du lit?"

Au moment même où elle me racontait son histoire, j'ai senti des griffes dans mon dos et j'ai su qu'il fallait sortir au plus vite de la clinique où nous travaillions. En plus, le moteur d'une turbine dans une salle opératoire s'est déclenché tout seul – ça s'ouvre habituellement avec un interrupteur – et on a vite senti un vent venir du fond de la clinique, accompagné d'un bruit terrible. J'ai crié: "Il faut sortir de la clinique, ça presse!"

Je lui ai ensuite dit de se rendre chez sa mère et de ne pas retourner dans sa maison avant que celle-ci ne soit libérée des entités négatives qui l'habitaient. Malgré mon conseil, elle me demanda le lendemain d'aller avec elle à sa maison au cours du week-end suivant pour y chercher quelques affaires. Elle ne voulait pas s'y rendre seule et avait confiance en mes facultés. On s'est entendues pour qu'elle me rappelle afin de me confirmer le jour et l'heure de cette visite. Je n'étais pas vraiment à l'aise avec cette expédition, j'avais beaucoup de craintes, mais je me suis dit qu'il fallait que je l'aide.

Le samedi midi suivant, je revins de faire des courses et je vis que mon répondeur affichait deux messages. Je pris le premier, mais il n'y en avait pas de deuxième. Ma collègue m'appela plus tard pour me demander pourquoi je n'étais pas allée la rejoindre. "Mais je n'ai jamais eu de tes nouvelles", lui répondis-je. Elle me confirma qu'elle m'avait bien laissé toutes ses coordonnées sur mon répondeur. Je n'avais jamais reçu ce message. Je crois vraiment que c'est mon père qui a détruit ce message afin que je ne me rende pas sur les lieux. Il avait peur pour moi. Je suis certaine que mon père a agi en ange gardien dans ce cas-là, c'est évident.

Par la suite, il a continué d'être très présent. Une fois, la télé s'est arrêtée toute seule et quand elle s'est rallumée, aussi toute seule, on y jouait la chanson *Guantanamera*.»

Aujourd'hui, les trois filles de Connie sont tellement habituées aux gentilles manifestations de leur protecteur de l'au-delà qu'elles lancent souvent devant des faits inexplicables: «Ah! c'est grand-papa» ou «Ah! c'est Roger!»

De mystère en mystère

Depuis, peu de jours passent sans que Connie ne soit témoin d'une manifestation quelconque. Vers l'âge de 35 ans, elle participait à une fête.

«J'avais l'impression que quelqu'un tentait d'entrer dans mon corps.»

«Une femme est passée près de moi et je l'ai effleurée sans le vouloir. Je ne connaissais pas cette dame, je ne l'avais jamais vue de ma vie. En la touchant, j'ai ressenti un vif malaise qui m'a fait me sentir très mal.

J'avais l'impression que quelqu'un tentait d'entrer dans mon corps. C'était la première fois que ça m'arrivait et c'était très désagréable, très dérangeant, je vous le dis! Et ce n'était pas dû à une trop forte absorption d'alcool, je vous l'assure! Je me suis alors agrippée au bras de cette femme qui me regardait plutôt paniquée et je lui ai dit: "Toi, tu as un frère mort." Elle m'a répondu: "Oui, c'est vrai." – "Ton frère a eu une fille." Elle me regarda avec des yeux inquiets, sans répondre cette fois-là. Et je continuai : "Sa fille est en danger. Ton frère te demande de prendre soin d'elle. Elle va mourir si tu ne fais rien."

La dame s'arracha soudain à moi. Il m'aurait été totalement impossible de me détacher d'elle toute seule. Dans tous ses états, elle me dit : "Je ne t'ai jamais vue, je ne te connais pas, comment peux-tu savoir tout ça à propos de mon frère et de sa fille ?" Je lui ai dit que je n'en avais aucune idée. Elle répliqua : "Oui, mon frère est mort, et oui, il a une fille, c'est une junkie sans-abri au centre-ville..." Puis, elle a baissé le ton en ajoutant : "Je vais tout faire pour la retrouver. »

Connie est sortie totalement ébranlée de cette bouleversante expérience.

Les outils du bon chasseur de fantômes

Vous avez en tête de partir à la chasse aux fantômes ? Voici ce que vous devriez avoir dans votre baluchon.

- Une lampe de poche avec des piles de rechange.

- Un carnet et un crayon pour tout prendre en note.

- Une montre pour noter l'heure des manifestations.

- Une craie blanche pour entourer certains objets ou meubles susceptibles de bouger.

- Un thermomètre au laser pour sa grande sensibilité aux moindres baisses de température.

- Un détecteur EMF (pour *electromagnetic field*) servant à analyser les champs électromagnétiques des lieux, pour ainsi démontrer scientifiquement de possibles mouvements spectraux.

- Un magnétophone audionumérique pour enregistrer d'éventuels sons inexpliqués ou la voix électronique d'une entité, qui peut être émise à des fréquences imperceptibles à l'oreille humaine mais captables par cet appareil.

- Un appareil photo numérique avec flash très performant (on le calibre à sa force maximale), qui permet de saisir une silhouette spectrale, alors que l'œil nu est incapable de la percevoir dans le noir.

- Mieux encore, si possible : une caméra à infrarouges qui filme tout mouvement dans l'obscurité.

- Une trousse d'urgence en cas de blessure.

- Sans oublier un miroir, pour y capturer un fantôme qui se montrerait trop agressif !

«Je n'ai pas demandé à ce que ça m'arrive. J'avais l'impression de ne pas avoir le contrôle sur certaines situations et je ne peux pas dire que j'aimais bien ça. Je n'ai jamais fait exprès pour vivre des choses pareilles.»

Attention, danger !

 «Je me suis réveillée ce matin-là avec l'intuition bizarre qu'il allait arriver quelque chose... »

Connie nous raconte un autre incident, celui-là plus grave. Elle est convaincue que son père fut là pour l'aider à protéger sa fille.

«Je me suis réveillée ce matin-là avec l'intuition bizarre qu'il allait arriver quelque chose de mal à ma fille, qu'un homme malsain lui tournait autour. Ma fille avait alors 11 ans, elle se rendait seule à l'école, à trois minutes de marche de la maison. J'essayais de continuer de vaquer à mes occupations. Je me suis rendue au travail à reculons, ça me préoccupait beaucoup même si j'essayais de ne pas m'en faire. Parvenue au boulot, je ne me sentais toujours pas mieux. J'ai décidé d'appeler ma fille pour lui dire d'être très prudente en se rendant à l'école. Elle allait habituellement manger toute seule à la maison le midi. Ce jour-là, elle me rappela et me dit avec inquiétude : "Maman, quand je suis sortie de l'école, un gros monsieur m'a appelée mademoiselle. Je me suis retournée, mais je ne suis pas allée le voir, je n'aimais pas ce que je voyais dans son regard. Puis, là, je me suis mise à marcher vite, vite jusqu'à la maison, et il m'a suivie. Il marchait lentement, j'ai eu le temps de me rendre, mais je n'aimais pas ça."

Je n'ai fait ni une ni deux, j'ai sauté dans ma voiture pour retourner chez moi. Alors que j'étais encore en route, ma fille m'a rappelée avec des larmes dans la voix : "Fais vite maman, ça fait dix minutes que le monsieur bizarre est devant la maison ! "

À partir de ce moment-là, j'ai fait en sorte que ma fille mange toujours à l'école et je me suis organisée pour qu'elle n'y se rende plus toute seule. J'ai aussi porté plainte à la police. Ma fille m'avait donné une description très précise de cet homme. Aujourd'hui, je suis vraiment certaine que c'est mon père qui m'a avertie.

Il prend soin de nous, il nous protège. Il me parle si souvent ! »

« Merci d'être là, papa ! »

Pour Connie, il est clair que son père est près d'elle afin de la guider et de répondre à ses questions.

« Je lui ai demandé un jour de me dire qu'il était bien là pour nous protéger et, au matin, j'ai trouvé sur ma table de chevet mon petit médaillon ange gardien que j'avais perdu quelques jours auparavant. »

Son père vient aussi lui parler dans ses rêves et elle se sent toujours soulagée au réveil.

« Il est venu me voir une nuit en rêve et m'a dit qu'il allait répondre à deux de mes questions. La première : oui, mes filles seraient toujours bien protégées, il ne leur arriverait rien de grave, m'a-t-il dit.

 « Je serai toujours là pour elles. »

À ma deuxième question à savoir comment il réussissait à déplacer les objets ou à faire jouer *Guantanamera* pour m'envoyer des signes, il me répondit : "Notre temps dans le monde des esprits n'est pas linéaire comme chez les humains. Il est circulaire. On peut ainsi anticiper des situations déjà passées, y parvenir et s'y insérer à partir de notre temps à nous." Je suis toujours restée étonnée par cette description, même si je n'y comprenais pas grand-chose.»

Un sourire de l'au-delà

Un autre exemple très spécial témoigne bien de la présence du père de Connie dans sa vie de tous les jours. Cette dernière sait ainsi qu'il est toujours là près d'elle, à tous moments.

«J'allais chercher ma fille à l'école. Comme je n'avais pas eu de nouvelles de mon père depuis un petit bout de temps, je lui ai demandé : "Allez, dis-moi qu'il y a une vie après la vie, prouve-moi que tu es là, dans une autre vie tout près de moi." J'ai continué à marcher et, quelques minutes plus tard, j'ai croisé deux adolescents sur le trottoir qui venaient en sens inverse. Tout à coup, l'un d'eux a bifurqué et traversé la rue pourtant très passante, sans regarder à droite et à gauche. Son ami lui a crié : "Mais qu'est-ce que tu fais?" Dès qu'il fut de l'autre côté de la rue, le jeune homme s'est retourné et s'est mis à chanter très fort... *Guantanamera*!

J'étais totalement sidérée! Vraiment!

Je ne disais rien, je ne bougeais pas. Le jeune homme est alors revenu aussi vite de ce côté de la rue, il a plongé un regard profond dans le mien et il m'a fait un grand sourire sans cesser de me regarder. J'ai continué mon chemin, mais j'étais bouleversée!

Moi, je savais ce qui venait de se passer, tandis que j'entendais son copain l'engueuler d'avoir été si imprudent. Je m'éloignai, le sourire aux lèvres.»

 «Je dis alors, avec une grande paix dans le cœur: "D'accord, papa, t'es fort, t'es très fort! Merci d'être là."»

Hugo Fournier, membre de l'association des Sceptiques du Québec, rappelle que plus de 90 % des phénomènes dits inexpliqués proviennent spécifiquement des gens à qui cela arrive. Soit ce sont des gestes qu'ils ont posés eux-mêmes, soit leurs perceptions ont été faussées par la peur, la fatigue ou le stress, soit leurs réactions exacerbées ont été suscitées par une détresse psychologique causée par une chicane de couple ou de famille, un deuil, une séparation, une perte d'emploi ou une autre situation déstabilisante. Des faits mystérieux ou inexplicables sur le moment peuvent parfois prendre une envergure démesurée dans une situation de peur, de souffrance, de profonde tristesse, d'abandon ou de détresse.

LE PASSEUR D'ÂMES

Lieu : Québec
Apparitions : plusieurs âmes errantes dirigées
vers le chemin de la lumière

« Quand j'étais jeune, j'avais tellement peur de tout ça ! »
Pierre-André Pelletier

Si Pierre-André Pelletier[5] avait autrefois si peur des phénomènes paranormaux, c'est probablement parce qu'il en avait été témoin à plusieurs reprises dès sa plus tendre enfance et qu'il ne comprenait pas ce qui lui arrivait. C'est à l'âge de 25 ans que la vie l'a poussé inexorablement vers le monde de l'au-delà.

Aujourd'hui, Pierre-André intervient comme passeur d'âmes. Il accompagne les âmes errantes pour qu'elle trouvent enfin leur voie vers la lumière et il aide les personnes aux prises avec ce type de manifestations.

Un phénomène isolé qui s'est produit dans son appartement a été à l'origine de sa nouvelle destinée. Pierre-André se rappelle.

« C'était en pleine nuit. Je me suis levé pour aller à la salle de bains. En revenant à ma chambre, j'ai aperçu dans le salon une forme spectrale bien définie. C'était blanc, vaporeux et lumineux, à vrai dire c'était même très beau à voir. Ça avait forme humaine. J'ai tout de même eu très peur parce que je fuyais toujours, depuis mon tout jeune âge, ce type d'apparitions. Je suis vite allé réveiller mon amoureuse pour qu'elle vienne voir. À notre retour au salon, il n'y avait plus rien. Ce phénomène a été un véritable événement déclencheur. C'est à ce moment-là que je me suis dit, bon, OK, ça existe et ça veut prendre contact avec moi!»

Le guide

À l'époque, Pierre-André travaillait comme gestionnaire dans une entreprise pharmaceutique. Il avait les deux pieds bien sur terre. Pourtant, il ressentait que cette apparition n'était pas un fantôme mais plutôt un guide venu lui montrer une autre voie à suivre, celle d'un nouvel avenir. Intrigué, il se plongea donc dans des livres sur le paranormal, s'inscrivit à des cours, effectua des recherches dans le domaine, entreprit un cheminement personnel en profondeur et des cours de relations humaines. «Je voulais comprendre une fois pour toutes comment ça se passait de l'autre côté.»

De son côté, la copine de Pierre-André commençait à le trouver plutôt bizarre. Elle n'avait pas assisté à la manifestation dans le salon et demeurait aussi sceptique que pouvait l'être Pierre-André avant cette nuit fatidique.

«Auparavant, chaque fois que quelqu'un me parlait de fantômes ou de phénomènes inexpliqués, je lui fournissais toujours des arguments scientifiques pour démolir son

«Je voulais comprendre une fois pour toutes comment ça se passait de l'autre côté.»

> « *Une boule de lumière blanche a traversé le corridor de notre appartement. Ma conjointe a bien vu elle aussi cette boule effervescente. À partir de ce moment-là, elle a cru!* »

histoire, ajoute Pierre-André. Je n'y croyais pas, tout simplement. Alors je comprenais très bien que ma blonde soit sceptique, même si elle restait ouverte à mon histoire. »

Mais la jeune femme ne perdait rien pour attendre...

« Il y a eu cet après-midi-là... Une boule de lumière blanche a traversé le corridor de notre appartement. J'ai crié à ma conjointe de venir me rejoindre et elle a bien vu cette boule effervescente aller se dissoudre près du cadre de la porte d'entrée. À partir de ce moment-là, elle a cru! »

Pierre-André continuait de plus belle ses recherches pour tenter de comprendre cette nouvelle manifestation. Une médium lui confirma que ce qu'il avait vu était bien un guide venu lui montrer la nouvelle voie à suivre. Pierre-André savait qu'il n'avait plus le choix. Il devait foncer. Il finit par apprivoiser complètement sa peur de l'au-delà et en vint à s'ouvrir avec sérénité et confiance à cet univers parallèle.

> «J'ai compris que plus on nettoie son cœur, que plus on accepte et on reconnaît ses peurs, plus on devient positif, ouvert et sensible à soi et aux autres par le fait même. Notre légèreté intérieure fait alors place à la lumière et au bonheur.»

Plein contact avec l'au-delà

Pierre-André évolua rapidement dans ce domaine qui le passionnait. Quelques mois plus tard, il se rendait à Montréal pour poursuivre son perfectionnement. Il séjourna dans la grande maison ancestrale d'une amie.

«La première nuit, je n'ai pas très bien dormi. J'ai fait de l'insomnie, moi qui n'ai aucune tendance à cela habituellement. Je suis calme et posé. Mais cette nuit-là, je me suis senti anxieux, même stressé. Comme j'éprouvais la même chose la deuxième nuit, je me suis ouvert à ce qui pouvait bien se passer dans cette chambre. J'ai aperçu tout à coup une forme dans un coin de mon champ de vision. C'était un homme qui ne semblait vraiment pas de bonne humeur. Il avait entre 70 et 75 ans et les cheveux gris.»

Souvent, les apparitions spectrales ne sont perçues que du coin de l'œil et disparaissent tout aussi vite.

«L'apparition masculine me faisait ressentir que je ne devais pas me trouver là. L'homme me paraissait très fâché. Le message qu'il me transmettait était clair, il fallait que je sorte de sa maison. J'ai tout de même tenté de lui expliquer que j'étais ici seulement pour dormir et que je ne voulais pas le déranger. J'ai appris qu'il était l'ancien propriétaire de cette demeure et qu'il était resté très attaché à ce lieu ainsi qu'à la propriétaire actuelle. Amoureux? Peut-être! En tout cas, il était évident qu'il n'appréciait pas d'avoir d'autres présences masculines sur place.

J'ai dit au vieil homme que je n'étais pas une menace pour lui et que je pouvais l'aider à traverser de l'autre côté. Il semblait très étonné et curieux en même temps. Il me dit qu'il était d'accord, car il trouvait ça difficile ici-bas, ça lui demandait beaucoup d'énergie. Puis, le passage s'est fait tout seul, je l'ai accompagné en pensée vers la lumière et il s'en est allé doucement. L'air était plus léger dans la chambre par la suite. Je respirais

«Quand je parle avec un esprit, je lui parle dans ma tête. Car les esprits peuvent nous comprendre ainsi, les pensées étant de l'énergie qu'ils savent très bien capter.»

mieux. Et j'ai très bien dormi cette nuit-là. Pour la première fois, je venais d'aider une âme errante à progresser vers la lumière. C'était ma toute première expérience comme passeur d'âmes, et ça avait été facile! Le lendemain, j'ai parlé de cette présence à la propriétaire, qui fut bien étonnée. Depuis qu'elle habitait les lieux, elle ne vivait ses amours qu'à distance parce que la cohabitation dans cette maison était toujours source de conflit. L'hôtesse des lieux ne pouvait même pas garder de chats mâles dans cette maison, ils se sauvaient toujours. Je lui ai dit que probablement, maintenant, ça irait mieux. »

Il apaise un site hanté

En 2005, un couple de Québec prend contact avec Pierre-André afin qu'il utilise ses facultés pour les libérer d'entités plutôt gênantes.

L'homme et la femme vivent depuis quatre ans dans une maison nouvellement construite. Leur chien se comporte très bizarrement. Il fixe un point au plafond et

« Des entités pompaient probablement l'énergie en place. »

> «Dans une maison, l'énergie dégagée par la peur, les décès, les suicides, les chicanes, les divorces, la maladie, l'anxiété, accumulée année après année dans les murs, les objets et l'air, contribue à façonner une énergie lourde qui finira par affecter ses occupants. Des objets fabriqués dans un contexte d'esclavage et de souffrance peuvent aussi, par exemple, emmagasiner une telle énergie malsaine. En plus, si une âme errante malheureuse demeure attachée à une maison ou à un lieu, elle devient un poids, une énergie lourde qui tente de se brancher à tout ce qui peut être positif sur place pour la siphonner.»
>
> Pierre-André Pelletier

tourne en rond en le regardant sans s'arrêter. La femme ajoute qu'elle a aperçu, la veille, l'ombre d'un homme dans la cinquantaine, assis sur une chaise du balcon. Depuis quelques jours, elle se sent très angoissée, état qui ne lui ressemble pas. Elle invite Pierre-André à venir sur place pour évaluer la situation de plus près.

«Elle m'a fait visiter les lieux, le terrain et le sous-sol, et j'ai vite senti que le taux vibratoire de l'énergie ambiante était à son plus bas. Il était clair qu'il s'y déroulait des choses anormales. Cela présageait que des entités pompaient probablement l'énergie en place ou que des champs d'énergie lourde et latente étouffaient la bonne énergie des lieux.»

Pierre-André constata qu'il y avait un peu de tout cela dans cette maison qui n'avait pourtant pas un passé si lointain. Par ailleurs, il apprit que la propriétaire se concentrait à ce moment-là sur un cheminement personnel important.

«Elle devenait plus sensible à l'ambiance autour d'elle, et cela avait commencé à la déranger. Je crois que l'énergie lourde était déjà présente sur les lieux bien avant la construction de cette maison, mais elle ne l'avait ressentie que cette année-là grâce à sa plus grande ouverture spirituelle.

Quant à moi, je voyais, en plus de l'homme du balcon, deux autres âmes perdues, un petit garçon et un homme d'environ 35 ans, qui gravitaient depuis quelques années autour de cet emplacement, un ancien boisé où ils étaient peut-être morts ou avaient été enterrés, et ce, bien avant la construction de la maison. Je ne leur ai pas demandé.

Je les ai simplement accompagnés en les invitant à se diriger vers la lumière, leur permettant ainsi de retrouver enfin la paix et de cesser d'errer.»

Tout s'est bien passé. Quelques minutes plus tard, l'énergie ambiante de la maison s'était rétablie. Pierre-André sentait déjà l'air plus léger, il respirait beaucoup mieux.

«Le meilleur exemple que je puisse donner serait celui de l'eau trouble d'un aquarium qui viendrait d'être nettoyée. Et la propriétaire des lieux a aussitôt ressenti cette légèreté intérieure.»

«Je les ai simplement accompagnés en les invitant à se diriger vers la lumière, leur permettant ainsi de retrouver enfin la paix et de cesser d'errer.»

La grande sensibilité des animaux

Un autre cas fort intéressant traité par Pierre-André concerne un couple qui souhaitait vendre sa maison, à Québec. À vrai dire, il l'avait achetée d'un propriétaire qui avait eu tant de difficulté à la vendre qu'il en avait grandement baissé le prix. Le couple se trouvait à son tour avec le même problème d'une vente qui s'éternisait. Pierre-André nous relate cette rencontre.

«Ils m'avaient demandé de me rendre sur place afin d'évaluer les éventuels obstacles à cette vente. Ils avaient un chat qui, disaient-ils, était très sociable. Or, dès que ce dernier m'a vu entrer, il s'est sauvé à toute vitesse. J'ai trouvé cela très bizarre. Si je tentais de l'approcher, il se sauvait encore. J'ai donc demandé à la propriétaire d'aller chercher l'animal pour me l'amener. Dès que j'ai vu la petite bête de plus près, j'ai vite senti qu'une âme s'était emparée d'elle.

La dame, en tenant le chat dans ses bras, me dit alors : "Je ne sais pas ce qui se passe, mais mon chat tremble comme c'est pas possible ! Il tremble de peur, c'est évident."

Je lui ai demandé de garder l'animal sur elle et j'ai guidé l'âme prisonnière vers l'autre monde afin de libérer la maison de cette présence lourde. La propriétaire m'a raconté avoir senti l'âme sortir du chat comme s'il s'était fait plus léger soudain, et l'animal a instantanément arrêté de trembler. Elle l'a déposé par terre et il est venu aussitôt se frotter à moi en ronronnant. C'était amusant !

Il avait eu en lui une âme errante féminine ; une femme qui aimait beaucoup les chats s'était accrochée désespérément à ce petit animal. Il était bien possible que cela ait pu repousser les acheteurs potentiels qui ne se sentaient pas bien dès qu'ils entraient dans la maison. Tout est rentré dans l'ordre, et les gens ont pu vendre leur maison facilement par la suite. »

L'enfant qui voyait des fantômes

« Les âmes qui souffrent sont parfois hostiles.
Il faut être attentif à leur douleur et partager avec elles
notre joie de les aider à se libérer pour l'éternité. »
Pierre-André Pelletier

Un autre cas attira l'attention du jeune homme. Un couple avec un jeune enfant venait d'acheter une maison en banlieue de Québec, près d'un boisé. La maison avait une trentaine d'années et déjà connu sept propriétaires. Après trois ans de coexistence avec des phénomènes étranges, le couple tenta de trouver réconfort auprès de Pierre-André. Ce dernier relate cette histoire insolite.

« Maman, il y a une sorcière noire dans la salle de bains. »

«Il était clair qu'ils avaient besoin d'aide. Ce qu'ils vivaient était très désagréable. Les entités qui hantaient les lieux étaient très hostiles. L'enfant répétait sans cesse à sa maman: "Il y a quelqu'un là, il y a quelqu'un là", puis ajoutait: "Le monsieur est méchant, pas beau et pas gentil." Il disait aussi qu'il lui voulait du mal, qu'il lui courait après dans la maison. Pourtant, ses parents ne voyaient jamais personne.

Un jour, il est revenu apeuré vers sa mère et lui a murmuré en tremblotant: "Maman, il y a une sorcière noire dans la salle de bains."

La dame de la maison m'a aussi raconté que lorsqu'elle descendait au sous-sol, les lumières se mettaient à clignoter. Ça n'arrivait qu'à elle, pas à son mari. La nuit, le petit se réveillait en sursaut, les larmes aux yeux, parce qu'il entendait quelqu'un bûcher du bois. Il venait souvent retrouver ses parents dans leur lit en tremblant, prétextant que sa chambre lui faisait trop peur. Il ne dormait pas bien. Il pleurait souvent.»

Quand Pierre-André est arrivé sur place, il a perçu l'hostilité de plusieurs âmes gravitant en ces lieux.

«J'ai su tout de suite que c'était le sol, le terrain, qui était affecté par ces présences. J'ai senti comme un grand tombeau dans ce sol, et les âmes qui s'y trouvaient empruntaient la canalisation d'eau de la maison pour y pénétrer.

L'eau constitue un excellent canal de transport des âmes errantes.

La maison était donc continuellement alimentée par ces âmes qui circulaient du sol vers l'intérieur de la maison. Il a donc fallu que j'intervienne à la source. Ce fut un travail exigeant qui m'a demandé d'être bien enraciné à la terre, mais j'y suis parvenu. Je leur ai montré le canal qu'ils devaient emprunter pour libérer ces lieux, et ce fut un succès.»

Aidons les âmes errantes

Même s'il cumule de nombreuses années de pratique, Pierre-André Pelletier continue de faire ce travail avec autant d'humilité et de joie. S'il peut aider les gens à être plus heureux, cela le rend heureux aussi. Selon lui, chacun d'entre nous devrait pouvoir aider les âmes errantes à quitter convenablement la terre où elles sont prisonnières. Cela prend une grande dose d'amour, de joie de vivre, de sérénité et de connaissance de soi.

« Le plus bel exemple que je puisse donner, c'est celui d'un petit enfant apeuré qui demande à ses parents de le réconforter. Si les parents ont peur eux aussi, ils ne lui transmettront que leur angoisse et rien d'autre. C'est le même principe avec une âme errante. Il faut l'aider avec amour et paix à prendre le chemin de l'au-delà et à quitter l'entre-deux-mondes où elle est coincée. Il faut écouter cette âme avec bienveillance, la rassurer et lui donner l'attention protectrice dont elle a besoin. Ainsi, on pourra la guider calmement vers l'autre monde auquel elle appartient désormais. D'abord et avant tout, il est important de se rappeler qu'on doit toujours agir dans la joie. En retour, cela nous apportera aussi, à nous, de la joie. Toutefois, il faut sans cesse user de discernement dans l'interprétation des manifestations que l'on vit et dans tous les gestes que l'on pose. Surtout, il ne faut jamais négliger tous les services médicaux et d'urgence qui sont à notre disposition. »

SPECTRES AU CACHOT

**Lieu : Vieille Prison de Trois-Rivières
Apparitions : peut-être d'anciens détenus
ou d'anciens employés**

« Plusieurs détenus sont morts ici. »
Claire Plourde, responsable
des communications, Vieille Prison

Construite entre 1816 et 1822 et aujourd'hui classée monument historique, la Vieille Prison de Trois-Rivières est demeurée en usage jusqu'en 1986, année où elle fut fermée pour cause d'insalubrité. Classée bâtiment historique, on peut maintenant la visiter en compagnie d'un guide. Bien qu'elle ait été conçue au départ pour recevoir tout au plus une quarantaine de détenus, elle en a parfois hébergé plus d'une centaine simultanément. Ses murs conservent certainement en mémoire quelques histoires tragiques.

Le premier phénomène étrange observé remonte à 2004, alors qu'on testait le nouveau produit touristique « Sentence d'une nuit ». Claire Plourde, responsable des communications, nous relate les faits.

« On voulait offrir aux gens la possibilité de passer une nuit entière à la Vieille Prison. Auparavant, on devait tester le produit. Ça se passait au rez-de-chaussée. Un consultant était sur place pour observer le déroulement de l'expérience durant la nuit. Il était allé se coucher un moment, en attendant, dans la salle de conférence au 1er étage. Il faut savoir que les bureaux administratifs sont logés au 2e étage et qu'au-dessus, c'est le grenier. Il est certain qu'il n'y a personne à ces étages, la nuit. Eh bien, notre homme a soudain entendu très clairement marcher à l'étage supérieur et, pire encore, il a aussi entendu une porte claquer bruyamment. Il n'a vraiment pas aimé ça!»

Qui va là?

Des employés d'entretien ont aussi vécu une drôle d'aventure. Claire Plourde nous raconte.

«Ils faisaient le ménage en soirée. Ils étaient seuls dans la prison, comme à l'habitude. Il était assez tard. Tout à coup, ils ont entendu une porte de cellule se fermer lourdement, dans un véritable vacarme. Ça fait beaucoup de bruit, une porte de cellule qui clenche !

Ils savaient très bien qu'il n'y avait personne d'autre qu'eux sur place. Ils ont eu tellement peur qu'ils se sont enfuis sur-le-champ, prenant leurs jambes à leur cou. »

En fait, il paraît qu'il se passe de drôles de choses à tous les étages de la Vieille Prison. Même le grenier a connu

 «Tout à coup, ils ont entendu une porte de cellule se fermer lourdement. Ça fait beaucoup de bruit, une porte de cellule qui clenche ! »

son lot d'incidents inexpliqués. «Il est arrivé à plusieurs reprises que les fenêtres du grenier s'ouvrent toutes seules. On les ferme solidement et, quelques jours plus tard, on constate qu'elles sont encore ouvertes. C'est assez inquiétant ! Comme si quelqu'un avait besoin d'air soudainement. »

Une année, pendant le congé des fêtes, une fenêtre s'est ouverte dans la salle de conférence, faisant carrément éclater le radiateur à cause du froid qui avait envahi la pièce. Pourtant, on nous le certifie, cette fenêtre à longues barrures verticales était très bien fermée, c'est certain, car c'était l'hiver.

Alors, pourquoi cette ancienne prison vibre-t-elle autant? Il est vrai qu'en 164 ans, plusieurs détenus y sont décédés, en plus des huit condamnés à mort qui y ont été pendus. Les âmes mal mortes seraient-elles retenues ici-bas à jamais?

«Il est arrivé à plusieurs reprises que les fenêtres du grenier s'ouvrent toutes seules.»

Une médium confirme

Afin de vérifier la présence ou non d'entités, une médium s'est rendue à la Vieille Prison en 2005. Son analyse fut assez incroyable. «C'était très clair et sans équivoque pour elle. Trois entités cohabitaient dans le sombre cachot au sous-sol. Fait étonnant, la direction nous apprenait par la suite qu'elle savait qu'au moins deux détenus étaient décédés dans cette lugubre cellule.»

La médium ajouta qu'une autre entité squattait la salle de conférence et n'appréciait pas du tout que des vivants occupent cette pièce qui fut autrefois, mentionnons-le, une ancienne chapelle. Un nom lui revenait fréquemment en tête : Therrien. Après vérification des archives du musée, les employés ont découvert qu'en 1852 un dénommé Beaudoin aurait tiré sur un détenu nommé Therrien, à l'intérieur de la prison. Ce dernier serait mort sur le coup. Serait-ce ce Therrien qui hanterait ainsi la prison depuis tout ce temps, en se manifestant par des bruits suspects et des phénomènes étranges ?

«Trois entités cohabitaient dans le sombre cachot au sous-sol. On apprit qu'au moins deux détenus étaient décédés dans cette lugubre cellule. »

Claire Plourde poursuit son témoignage : «En plus, la médium a dit entendre des enfants courir au 2e étage. Fait intéressant, cet espace a autrefois été la résidence du gouverneur et de sa famille... »

Mi-sceptique, mi-intriguée, Claire Plourde nous raconte un autre fait qu'elle ne s'explique pas encore.

«Un soir où je prenais part à une activité dans la prison, j'ai eu à monter à mon bureau. Je n'ai allumé que les lumières de mon secteur, car ce n'était qu'un petit aller-retour. Pourtant, quand j'ai quitté mon bureau, je me suis rendu compte que toutes les lumières du secteur voisin étaient elles aussi allumées...

D'habitude, quand il se passe quelque chose avec ces lumières, c'est plutôt qu'elles se ferment toutes seules – et on se demande toujours comment ça s'est produit. Mais

Apparemment, l'un des fantômes de la Vieille Prison pourrait être Richard Gennis, premier gouverneur de la prison, dont la famille est demeurée au service de l'établissement pendant 75 ans (lui, de 1822 à 1864, puis son fils William, de 1864 à 1897).

là, oups! elles venaient de s'allumer... d'elles-mêmes... sur l'étage au grand complet... Bon... je n'ai pas aimé ça. Vraiment pas!

J'ai vite quitté les lieux. Depuis, j'ai pris l'habitude quand j'entre tôt le matin ou que je quitte tard le soir, de chanter et chanter et chanter toujours, juste pour faire savoir aux fantômes que je suis là et qu'ils font mieux d'attendre que je n'y sois plus pour se manifester. En fait, je ne suis pas certaine si j'y crois ou non, mais je ne prends pas de chance, au cas où!»

Les rudiments d'une
bonne chasse aux fantômes

Voici tout ce qu'il faut savoir avant de vous engager dans une chasse aux fantômes.

- Demander, si possible, la permission aux autorités ou aux propriétaires avant d'investiguer quelque part.

- Ne jamais agir seul ou se séparer en cours d'enquête.

- Bien déterminer à l'avance la tâche de chacun.

- Inspecter les lieux en plein jour pour les apprivoiser.

- Passer préalablement un long moment dans le noir dans un lieu connu, comme sa chambre ou son appartement, afin d'entraîner ses yeux à la pénombre.

- Toujours avoir un téléphone cellulaire sur soi en cas de danger ou de blessure.

- Garder le silence, respirer lentement, mais profondément pour apaiser un peu sa peur.

- Désigner une personne pour prendre des notes. Consigner tout : température, sons, mouvements, courants d'air...

- Si un fantôme apparaît, rester calme, ne pas tenter de l'attraper ni d'y toucher. Utiliser tous les appareils possibles pour l'immortaliser : caméra, magnétophone, détecteur de champ électromagnétique...

- S'il se fait menaçant et s'approche de trop près, ne pas cesser de lui parler calmement, sans manifester de peur. Lui sourire pour l'apaiser.

- S'il devient agressif, sortir le miroir pour l'y emprisonner... ou vite s'enfuir !

LES FANTÔMES
DE LA PULPERIE

**Lieu : Pulperie de Chicoutimi / Musée régional
du Saguenay-Lac-Saint-Jean
Apparitions : manifestations étranges, d'origine inconnue**

En 1896, les fondateurs de la Compagnie de pulpe de Chicoutimi posent la première pierre d'une construction d'envergure. La Pulperie deviendra vite le pôle de développement économique de la région. Les moulins fonctionnent à plein régime jusqu'en 1921, année où les affaires se mettent petit à petit à battre de l'aile. En 1930, on doit malheureusement fermer les portes de l'entreprise.

Sauvés de justesse du pic des démolisseurs en 1970, les cinq bâtiments bordés par la rivière Chicoutimi sont accessibles à la population depuis 1980. Et, depuis 1986, la Pulperie abrite un immense musée. On peut même y visiter la Maison Arthur-Villeneuve (peintre naïf régional), déménagée et conservée entière en ces murs depuis 1994.

Vestige du passé dont quelques bâtiments furent fortement ébranlés pendant le déluge de 1996, la Pulperie de Chicoutimi semble avoir malgré tout conservé certains autres locataires, témoins impalpables de son passé. Des fantômes issus de l'époque des travailleurs de la Compagnie de pulpe de Chicoutimi habiteraient les lieux en permanence, à ce qu'il paraît.

Tout employé qui y a travaillé en soirée se souvient d'un craquement inconnu ici, d'un bruit étrange là.

Dans la Maison Arthur-Villeneuve, il arrive souvent qu'on
entende des sons évoquant des pas à l'étage supérieur, auquel les visiteurs n'ont pourtant pas accès.

Des bruits étranges

Suzie Perron, responsable des guides, nous relate quelques anecdotes.

«Si on a à travailler un peu tard en soirée, on a toujours hâte que le gardien
de nuit arrive pour ne pas se sentir
trop seul.

L'ambiance est toujours un peu bizarre. On entend chaque fois des
bruits suspects non identifiables.
Ça ne peut pas être le chauffage,
on les connaît ces sons-là, non, on
ne sait pas ce que c'est. Il y a souvent des craquements, de petites
brises passagères étranges qui nous

font frissonner tout d'un coup. Mais bon, on sait tous aussi que ce sont de vieux bâtiments et que, parfois, ça peut craquer comme ça. La présence de fantômes, on en rit plus souvent qu'autrement. Des employés et des visiteurs ont pourtant raconté avoir vu passer des formes blanches aux fenêtres du deuxième étage de la Maison Arthur-Villeneuve à quelques reprises. Dans cet espace du musée, les lumières sont tamisées et le haut de la maison n'est pas éclairé. Même nous, quand on monte à cet étage, on a le sentiment qu'on n'est pas tout seul... Cette maison centenaire a une longue histoire derrière elle. Cela stimule probablement notre imagination.»

« Si on a à travailler un peu tard en soirée, on a toujours hâte que le gardien de nuit arrive pour ne pas se sentir trop seul. »

Suzie Perron, responsable des guides, Pulperie de Chicoutimi

Encore le système d'alarme

Autre fait plutôt étrange, le système d'alarme du musée se déclenche régulièrement tout seul. «Combien de fois on peut être surpris dans la journée quand il démarre sans véritable raison!»

Et il y a aussi les lumières du sentier, entre les bâtiments, qui s'allument et s'éteignent subitement.

«C'est fou, souvent quand les gens sortent du bâtiment 1912 pour se rendre au stationnement, l'éclairage du sentier s'éteint comme par enchantement. Ça arrive très souvent. On a fait vérifier ces lumières plus d'une fois, rien ne peut expliquer cela.»

Présence d'entités ou mauvais fonctionnement des systèmes électriques? Tout reste à comprendre et rien n'est

> « Combien de fois on peut être surpris dans la journée quand le système d'alarme démarre sans véritable raison ! »

encore clair au sujet de ces manifestations qui bousculent le quotidien des gens qui travaillent ou visitent la Pulperie de Chicoutimi.

Par contre, un fait demeure, il y a du mystère dans l'air ! Un des gardiens de sécurité a un jour exprimé tout haut ce que plusieurs pensaient tout bas : « Toi, ici, en pleine nuit ? Tu ne resterais pas plus de quelques minutes ! »

Bien sûr, tous s'entendent pour dire que les gentils fantômes de la Pulperie, si fantômes il y a, n'ont rien de terrifiant, loin de là. Ils auraient même quelque chose d'assez sympathique, car ils font partie de l'ambiance et du décor, les enveloppant d'un voile de mystère... plutôt charmant !

Une simple variation du courant électrique dans les circuits d'une maison ou d'un bâtiment peut provoquer la fermeture d'un ordinateur ou le vacillement d'une lumière[6].

Il est bon de vérifier sa boîte de fusibles annuellement. Certaines des entrées des fusibles peuvent être attaquées par la rouille et le contact peut moins bien se faire ou de façon intermittente. Un disjoncteur défectueux peut aussi être la cause de baisses de tension. Si le problème est persistant, on peut demander à un électricien de vérifier à l'aide de ses instruments spécialisés s'il y a vraiment des variations inégales dans notre système électrique. Une surcharge de consommation électrique en période de pointe (temps très froid, par exemple) peut aussi être la cause de ce genre de problème. La consommation poussée à la limite peut parfois faire chuter la tension électrique. Plusieurs phénomènes naturels, comme le vent et le verglas, peuvent également causer des variations de tension électrique.

LE FANTÔME DE POINTE-DES-MONTS

Lieu : Côte-Nord
Apparitions : un ancien chef innu

Pointe-des-Monts est situé entre les villages de Godbout et de Baie-Trinité, dans la région de Manicouagan. Le phare de Pointe-des-Monts fut érigé en 1829, dominant de ses 30 m une avancée rocheuse de 11 km dans le golfe du Saint-Laurent. Ce phare est le plus vieux de la rive nord du fleuve Saint-Laurent et le deuxième plus ancien de tout le Québec.

Il va sans dire que ce site a été témoin de plusieurs pages de notre histoire. Huit gardiens se sont succédé à la barre de ce phare isolé, assailli par les intempéries saisonnières. Souvent très seule, la famille du gardien hébergeait quand même, parfois, des invités forcés, c'est-à-dire les équipages des navires échoués dans la région. Certains marins, moins chanceux, ont trouvé la mort dans ces traîtres eaux souvent agitées. Pierre Banville, beau-frère du gardien James Wallace, s'est noyé en face de la pointe. Un guide amérindien aurait également trouvé la mort par noyade tandis qu'il menait quatre Blancs à la chasse aux loups-marins (terme ancien pour les phoques).

Toutes ces années, les Amérindiens ont été très présents à Pointe-des-Monts. Et leurs esprits aussi, faut-il croire ! Il est vrai que certains ont parlé de la présence du fantôme d'un ancien gardien ou de la femme d'un des gardiens, ou ont affirmé que le diable lui-même aurait élu domicile dans le phare. Que d'autres ont dit avoir aperçu un homme sombre errant comme un perdu autour de la tourelle[7]. Mais, ces dernières années, c'est plutôt le fantôme du grand chef Ashini qui fait le plus parler de lui.

Le chalet n° 10

Dans les années 1990, Jean-Louis Frenette décide de bâtir des chalets à Pointe-des-Monts dont il serait le propriétaire locateur. Certains portent des noms amérindiens comme celui du chef Ashini. Jean-Louis Frenette ne se doutait pas qu'en baptisant ainsi ce chalet, il allait attirer l'esprit du grand chef entre ses murs, qui surprendrait plus d'un locataire confortablement installé là pour la nuit!

«J'avais loué ce chalet à une équipe de tournage en route vers la Basse-Côte-Nord. Le lendemain matin, le réalisateur est venu me voir en me lançant: "Cette nuit, imagine-toi donc que j'ai jasé avec ton Ashini! Il est venu me voir. Je lui ai demandé pourquoi il s'attardait à Pointe-des-Monts, et il m'a répondu qu'il était heureux de voir les lieux revivre comme ça, heureux surtout parce qu'il y voyait des enfants! Tous ces enfants qui allaient et venaient. J'aime ça surveiller, protéger les enfants qui viennent ici, je me sens bien entouré, a-t-il ajouté." Moi, je n'en revenais pas, car cet homme de passage ne savait rien de ce chef autochtone et ce qu'il semblait avoir entendu avait tellement de sens.»

Le grand chef et sa femme

 Un jour, les deux jeunes sont partis en mer et ne sont jamais revenus.

Dans la deuxième moitié du XIXe siècle, une centaine d'Innus demeuraient déjà à Pointe-des-Monts. Le grand chef Gabriel Ashini et sa femme, Charlotte, étaient tous deux très respectés. Ce couple âgé habitait dans un camp en bois rond chauffé avec un poêle à bois, alors que les autres membres de leur communauté vivaient dans des tentes.

Gabriel et Charlotte avaient adopté deux jeunes Innus dont les parents étaient décédés à la chasse aux loups-marins. Un jour, les deux jeunes sont partis en mer et ne sont jamais revenus.

▲ *Reconstitution sur le site de Pointe-des-Monts du campement d'autrefois du chef Gabriel Ashini.*

◀ *Le vieux Gabriel Ashini apparaît assis à gauche sur cette photo. Sa femme Charlotte est debout à droite, devant le tipi.*

Gabriel et Charlotte ne se sont jamais remis de la mort de leurs enfants adoptifs. Gabriel a pratiquement perdu la raison, raconte-t-on. Il aurait passé le reste de sa vie à se rendre à la pointe rocheuse dans l'espoir de voir les jeunes hommes rentrer au bercail. Chaque fois, Charlotte venait chercher son homme pour le ramener au campement et elle empruntait toujours le même sentier, qui existe encore aujourd'hui. C'est probablement pour cela que le chef Ashini hante toujours le site.

Certains touristes prétendent avoir aperçu une grande ombre sombre marcher lentement sur ce sentier.

Rêve d'enfant

Quant à Jean-Louis Frenette, il a découvert qu'Ashini semble bien loger pour l'éternité au chalet n° 10.

«Quelques semaines après la visite de l'équipe de tournage, un autre incident s'est produit dans le fameux chalet n° 10. Cette fois, une famille avait loué le chalet. Elle était arrivée bien tard, un soir d'orage épouvantable. Les orages à Pointe-des-Monts sont très impressionnants, car le roc vibre à chaque coup de tonnerre. Le couple a garé sa voiture, laissant ses deux enfants dans le véhicule pour courir à l'accueil vérifier s'il y avait un chalet vacant. Bonne chose pour eux, il me restait le chalet du chef Ashini. Alors que le mari se rendait à la voiture pour aller chercher sa carte bancaire, j'ai lancé à la dame, à la blague – je n'avais pas vraiment pris au sérieux le propos du réalisateur –, qu'ils étaient chanceux, car en plus, ils allaient profiter de la protection du grand chef. Puis je lui ai raconté la belle histoire de Gabriel qui avait espéré, en vain, ses enfants. Le lendemain matin, la famille avait prévu quitter très tôt. Mais elle avait décidé de retarder son départ afin de venir me faire part d'un incident qui l'avait grandement impressionné.

Ce fut à mon tour de l'être quand la mère me raconta cette anecdote étonnante survenue pendant la nuit. Elle me dit : "Vous savez, je n'avais pas dit un seul mot au sujet de votre chef indien à mon mari, ni à mes deux enfants. Pourtant, vers 6 h du matin, mon petit bonhomme de deux ans et demi m'a réveillée en s'assoyant carré dans son lit, et en parlant d'un homme venu le visiter dans ses rêves. Il est laid le vieux monsieur, il est laid, maman, disait-il."»

Jean-Louis Frenette poursuit son récit.

«En discutant avec sa mère et en repensant à son rêve, le petit garçon en est venu à comprendre que ce monsieur laid était au fond plutôt gentil. J'aurais voulu être là pour voir de quoi avait l'air ce Gabriel Ashini, mais il semble bien que cet enfant soit le seul chanceux, à ce jour, à avoir eu la chance de le voir!

Par la suite, j'en suis venu à la conviction profonde qu'il existe une autre dimension que celle du monde matériel que nos cinq sens peuvent percevoir.

«Je suis maintenant persuadé que plusieurs entités ont conservé des liens très étroits avec un endroit comme Pointe-des-Monts parce qu'ils y ont vécu des événements marquants de leur existence. »

Jean-Louis Frenette,
propriétaire des chalets de Pointe-des-Monts

Je ne souhaite pas vraiment rencontrer les entités qui hantent ces lieux, mais je sais qu'elles sont là. Je leur parle parfois intérieurement et j'ai la conviction qu'elles me reçoivent cinq sur cinq.

J'ai d'ailleurs la certitude que je hanterai moi-même Pointe-des-Monts après mon grand départ, et ce sera pour partager mon amour des lieux avec les gens et non pas pour les impressionner ou leur faire peur!»

LA PROSTITUÉE FANTÔME
DE GRIFFINTOWN

Lieu : sud-ouest de Montréal
Apparitions : une prostituée assassinée à la recherche
de sa tête

Tous les sept ans, le 26 juin, le spectre de Mary Gallagher revient, désespéré, à l'angle des rues William et Murray dans le quartier de Griffintown, à Montréal, à la recherche de... sa tête !

La dernière fois, c'était en 2005

À 20h, le 26 juin, des groupes ésotériques et quelques curieux s'étaient amassés à l'intersection de ces rues dans l'espoir d'apercevoir enfin la pauvre âme décapitée. Le prêtre irlandais catholique Thomas McEntee, décédé en mai 2008 à l'âge de 84 ans, contribuait à l'événement en disant notamment une messe en mémoire de la jeune Mary, morte assassinée. Espérait-il ainsi l'aider à retrouver la paix dans l'au-delà ? Ce prêtre trouvait important de garder bien vivantes les pages d'histoire qui avaient marqué la vie des Irlandais ayant, comme lui, immigré au Canada.

Fille de joie

Au XIXe siècle, Mary Gallagher était une jolie prostituée irlandaise très en demande. Elle travaillait dans Griffintown, un quartier défavorisé grouillant d'immigrants irlandais, situé au sud-ouest de Montréal, entre les rues McGill et Guy, au sud de la rue Notre-Dame et au nord du canal Lachine. Elle y avait des clients réguliers, mais tout autant de nouveaux jeunes hommes en mal d'amour. Elle bossait en duo avec une autre prostituée, Susan Kennedy, qui ne jouissait pas d'autant de popularité et qui, à vrai dire, n'aimait pas Mary dont elle profitait le plus possible.

 Susan trancha brutalement la gorge de Mary avec une hache.

Le soir du 26 juin 1876, les deux femmes charmèrent un jeune homme du nom de Michael Flanagan avec qui elles burent énormément. Elles l'emmenèrent dans leur appartement sordide pour partager avec lui un moment d'intimité. Jalouse du trop d'intérêt que Flanagan portait à Mary, Susan perdit tous ses moyens. Dans un excès de colère, d'alcool et de folie, elle trancha brutalement la gorge de Mary avec une hache qui traînait près du foyer.

Les policiers furent vite appelés sur place, alertés par les locataires d'en dessous qui pressentaient bien qu'un drame venait d'éclater chez leurs voisines aux mœurs légères. Lorsque les agents entrèrent dans l'appartement, Michael Flanagan ronflait comme un ours sur le lit. Susan Kennedy, elle, était étendue près de lui, les vêtements maculés de sang. Quant à Mary Gallagher, elle gisait dans une mare de sang sur le plancher de la chambre à coucher, décapitée. Sa tête avait été jetée à la poubelle.

Si le premier suspecté du meurtre fut le jeune homme, la cour conclut bien vite que la coupable ne pouvait être que la jeune femme. Elle avait clairement agi par vengeance. Michael Flanagan, jeune homme naïf et timide, n'avait aucune tache de sang sur lui, tandis que les vêtements et les mains de Susan Kennedy en étaient recouverts. La prostituée fut condamnée à la prison à vie. Elle ne recouvra la liberté qu'après 16 ans de détention. Flanagan, quant à lui, fut blanchi.

Toutefois, ce fut surtout Mary Gallagher qui fit parler d'elle par la suite.

Un spectre sans tête

Le 26 juin 1942, vers les 20h, une vieille dame aperçut ce qu'elle croyait être une femme, vêtue d'une cape sombre, déambuler au coin des rues William et Murray. Mais, vision d'horreur, la demoiselle lugubre n'avait pas de tête! Elle marchait à tâtons, les bras devant elle, semblant chercher son chemin... ou sa tête, fort probablement.

Depuis, on raconte que, chaque 26 juin à tous les sept ans, Mary Gallagher revient hanter ce quartier de Montréal en quête de sa tête perdue. Au cours de toutes ces années, bien des gens prétendent avoir rencontré la jeune morte. On ne peut oublier, dit-on, ce mince corps diaphane, vêtu d'une cape noire, ce pauvre corps qui erre sans tête, démuni, titubant et désorienté.

LES DAMES BLANCHES

Lieu: cap Diamant et chute Montmorency, à Québec
Apparitions: jeunes âmes désespérées à la recherche
de leur amoureux disparu

La dame blanche du cap Diamant

Au XIXe siècle, Éloïse de Volayne habitait un riche manoir sur le promontoire du cap Diamant[8]. Jeune femme d'une beauté éblouissante, elle se riait de ses soupirants. Devant l'empressement insupportable de ceux-ci, elle promit son cœur à celui qui gravirait la falaise vertigineuse du cap Diamant à dos de cheval. Fous d'amour pour la belle, les frères Jean et Samuel de Rochebeaucourt décidèrent de relever le défi. Mais tous deux y trouvèrent la mort. Insensible à leurs efforts et à leur perte, Éloïse s'amusa même de l'échec de ces deux prétendants.

Les mois passèrent sans qu'aucun autre jeune homme n'ose de nouveau s'attaquer à la paroi abrupte. Pourtant, un bon matin, un cavalier téméraire vint aviser la jeune femme despote qu'il tenterait l'impossible pour elle. Jeune étranger séduisant, Henri de Villemontel fit bonne impression auprès de la demoiselle. Même que le cœur de celle-ci en palpita. Durant trois jours, dans l'attente que le brouillard se dissipe, Henri fit une cour empressée à la dame qui succomba à ses charmes. Au moment de quitter sa belle pour aller enfin relever le défi et malgré les supplications d'Éloïse, Henri partit quand même gravir la falaise. Dans la crainte qu'il ne lui revienne pas, Éloïse fut étouffée par l'angoisse. Finalement, elle apprit, soulagée, que le jeune homme avait réussi.

Dure vengeance

Le vainqueur rentra triomphant au manoir et se rendit tout de suite auprès de la jeune femme. Totalement éprise de ce cavalier invincible, elle s'élança vers lui.

Mais, ô surprise! l'élu de son cœur la repoussa du revers de la main. Car Henri de Villemontel était en vérité Henri de Rochebeaucourt, venu de France pour venger ses deux frères, Jean et Samuel. Satisfait d'avoir brisé le cœur de la vilaine Éloïse de Volayne, il quitta promptement les lieux.

La jeune femme en fut démolie.

Et alors qu'elle regardait le navire d'Henri quitter le port, elle se jeta, désespérée, du haut de la falaise.

On raconte que depuis, chaque automne, quand la nuit tombe, on distingue le fantôme d'Éloïse pleurant son amour perdu sur la pointe du cap Diamant. Et le 1er novembre, à minuit sonnant, on entend son grand cri de désespoir percer la nuit tandis que sa fine silhouette toute blanche tombe doucement, une fois de plus, jusqu'au bas de la falaise.

La dame blanche de Montmorency

Catherine aimait Jean d'un amour tendre[9]. Les fiancés, qui vivaient à Beauport, rêvaient déjà d'une petite maison remplie d'enfants à l'île d'Orléans. La vie se faisait prometteuse. Mais voilà, c'était aussi un temps de guerre...

Les Anglais du général Wolfe et les Français du marquis de Montcalm se préparaient à un affrontement imminent. Jean dut s'enrôler. Catherine se mit vite à s'inquiéter de chaque jour qui la séparait un peu plus de l'élu de son cœur.

Les semaines passèrent. Le soir du 31 juillet 1759, Catherine tremblait à l'écoute de la liste des morts sur le champ de bataille. Son Jean n'y figurait pas, pourtant il n'était pas revenu. Tandis que ses compagnes retrouvaient leurs amoureux, la belle Catherine se dirigea plutôt vers la rivière Montmorency pour y pleurer sa douleur.

Personne ne sait ce qui la poussa vers cette rive isolée, mais ce qui est connu, c'est qu'elle y trouva le corps de son fiancé, mort de mille souffrances. Catherine ne survécut pas à la disparition de son amour. On dit qu'elle erra sans but durant des jours et mourut à bout de douleur. Se jeta-t-elle dans les bouillons fous de la grande chute pour aller rejoindre son bien-aimé?

En fait, on raconte que sur le coup de minuit, tous les soirs depuis, apparaît dans les vapeurs de la chute Montmorency une diaphane dame en longue robe de mariée blanche. On l'apercevrait même de la rive de l'île d'Orléans, semble-t-il. Et en hiver, ajoute-t-on, un doux visage féminin se découpe dans la glace bleutée de la chute. La belle Catherine est ainsi de retour pour pleurer son grand amour.

MYSTÈRES À VAL-JALBERT

Lieu : Chambord, Saguenay-Lac-Saint-Jean
Apparitions : manifestations inexpliquées

Le village de Val-Jalbert a été fondé en 1901[10] par Damase Jalbert qui, à l'époque, venait de mettre sur pied une importante usine de production de pulpe de bois pour la fabrication de pâte à papier. À l'origine, la compagnie avait été baptisée Ouiatchouan, du nom de la rivière et de la chute qui mouillaient le site. À la mort de Damase Jalbert en 1904, le village fut rebaptisé en sa mémoire.

De 1907 à 1924, l'usine passa sous contrôle américain, puis fut reprise trois ans plus tard par la Compagnie de pulpe de Chicoutimi, sous la direction de Julien-Édouard-Alfred Dubuc. Cette période en fut une de grande prospérité.

Le village connut un essor fulgurant, voyant s'ériger rapidement de nouvelles maisons, et courir des bandes d'enfants dans ses rues. Une église, un magasin général, un couvent-école furent vite construits.

Après toutes ces années de croissance continue, des heures difficiles allaient pourtant venir assombrir ce beau rêve. À partir de 1924, des difficultés assaillirent la compagnie, ce qui força l'usine à fermer définitivement ses portes le 13 août 1927. Deux cents ouvriers se retrouvèrent sans travail et durent quitter le village avec leurs jeunes familles pour aller refaire leur vie ailleurs. Quelques mois plus tard, le village de Val-Jalbert était abandonné de ses résidents.

Village historique ou village fantôme ?

Vers 1970, les lieux ont été transformés en destination touristique. Des guides racontent l'histoire du village et de ses habitants. D'abord désigné village fantôme, il est ensuite devenu Village historique de Val-Jalbert. Mais n'est-il pas véritablement demeuré un village fantôme ?

Aux dires des employés du site historique, il s'y passe parfois de déroutants incidents. Cela se passe souvent hors saison, quand le village est fermé aux visiteurs. Il est clair qu'il n'y a alors presque personne sur place.

« Il paraît que, des fois, on entend des gazouillis de bébés dans une maison, des enfants qui rient, comme s'ils s'amusaient. »

Un employé du Village historique de Val-Jalbert

Certains des employés (leurs noms ne seront pas cités pour préserver leur anonymat) retracent certaines anecdotes mystérieuses.

Un employé se dit plutôt habitué aux récits d'événements insolites au sujet de ce village silencieux. Il semble qu'il en faille bien plus à ce gardien pour être impressionné. Il nous relate quelques histoires dont il a entendu parler.

« Il paraît que, des fois, on entend des gazouillis de bébés dans une maison, des enfants qui rient, comme s'ils s'amusaient.

Il y a quelques années, des médiums sont venus du Minnesota et ils ont dit qu'ils sentaient quelque chose de spécial, comme des ondes pas ordinaires, entre autres dans l'ancienne chambre des sœurs du couvent. Mais moi, je n'ai rien remarqué du genre. Je ne crois pas vraiment à ces affaires-là. »

Si l'on observe en plan rapproché la fenêtre de gauche de cette maison, on peut apercevoir une forme étrange dans les vitres supérieures. Est-ce une entité qui s'y manifeste?

Et si c'était un fantôme?

Une employée partage ses inquiétudes avec nous.

«C'était en 2004, pendant l'hiver, quand c'est très tranquille. J'étais seule au bureau. Tout à coup, j'ai entendu marcher juste au-dessus de ma tête, à l'étage supérieur où se trouvent le bureau du directeur et la salle de réunion. Mais je savais qu'il n'y avait personne à ce moment-là de l'année. Je me disais, ça se peut pas, je peux pas entendre des pas, c'est pas possible!

Puis, après avoir encore entendu les pas se déplacer, j'ai décidé d'aller voir, en me disant que je n'avais peut-être pas remarqué l'arrivée de quelqu'un, tout simplement. Je n'avais pas peur du tout. Ça ne me fait pas peur, ces choses-là. J'ai les deux pieds bien sur terre. Et pourquoi on aurait peur? Ils sont juste arrivés avant nous et ils ont peut-être juste pas eu envie de repartir! En tout cas, il n'y avait absolument rien là-haut.

Un ancien employé m'a raconté une autre histoire du genre. Il était gardien de nuit et il passait une bonne partie de l'été dans la maison 5, aussi appelée la Maison des

«Tout à coup, j'ai entendu marcher juste au-dessus de ma tête, à l'étage supérieur. Mais je savais qu'il n'y avait personne à ce moment-là de l'année. Je me disais, ça se peut pas, c'est pas possible!»

Travailleurs. Chaque nuit, il faisait sa ronde de la trentaine de bâtiments du site. Chacune avait une clé rattachée par une chaînette à une petite boîte fermée et fixée à la porte. Pour visiter chaque maison, il devait retirer la clé, l'insérer dans un appareil à poinçon qui imprégnait alors le numéro de la maison, la date et l'heure de la visite, puis il remettait la clé dans sa boîte fermée. Il répétait le même rituel toutes les deux heures. Eh bien, très mystérieusement, chaque fois qu'il repassait aux maisons, les clés pendaient au bout de leur chaînette respective et n'étaient plus enserrées dans leur boîte protectrice. Il s'amusait toujours à dire: "C'est certain que ce sont les fantômes qui me suivent et qui retirent les clés de leurs boîtes!"

D'ailleurs, dans ce temps-là, il demeurait aussi dans ce bâtiment-ci, qui à l'époque était plutôt une maison de location que des bureaux administratifs comme aujourd'hui. Il lui est arrivé souvent, lui aussi, d'entendre des pas à l'étage, il en parlait fréquemment.»

Des frissons dans le dos

Pas étonnant qu'une dame de passage, certainement très sensible aux phénomènes paranormaux, ait mentionné un jour à la réceptionniste qu'elle ressentait des ondes très fortes entre ces murs, des présences invisibles dont celle d'une personne y ayant même trouvé la mort.

Une autre employée nous raconte aussi ce qu'elle a vécu. Elle a souvent travaillé au sous-sol du magasin général, où sont entreposées les pièces de collection des maisons du site. Elle y sort ou range les objets pour les expositions.

 «Il m'est arrivé, à moi aussi, et bien souvent à part ça, d'entendre des pas à l'étage.»

«C'est toujours quand c'est bien tranquille au village. Je travaille à Val-Jalbert depuis 2004 et je peux dire que j'ai entendu des pas là-haut chaque année, et plus d'une fois. Je me disais que ce devait être la responsable actuelle du magasin général, qui était là. Je ne suis jamais allée plus loin dans mon investigation. J'entendais une dizaine de pas, puis ça s'arrêtait. C'était toujours au même endroit, juste derrière le comptoir. Des bruits de pas bien distincts, des talons hauts de femme, des talons assez larges comme les souliers d'antan. Comme ceux que pouvait porter madame Fortin qui travaillait là aux temps anciens. Et si je me fie à la pesanteur des pas, madame devait être assez corpulente!

Un jour de novembre 2008, je me suis posé de sérieuses questions sur l'identité de cette présence. Je faisais bien des blagues, mais c'était surtout pour me laisser une porte de sortie sur l'existence de ce fantôme. La responsable du magasin général n'était pas supposée être à son poste ce

«Je ne peux pas dire que j'ai peur, mais je préfère ne pas avoir la confirmation ferme que la place est hantée.»

jour-là. Je suis même allée vérifier à l'administration, pour me faire dire qu'elle avait quitté en début d'après-midi. Cela confirmait bien pourquoi sa voiture ne se trouvait pas en face du magasin. Par la suite, je n'ai jamais osé lui demander si elle était venue à pied jusqu'au magasin, par-ce que sinon ça aurait pu me confirmer qu'il y avait bien un fantôme là-haut... et je ne suis pas certaine que je veux le savoir! Comme ça, je me garde une petite gêne!»

Prière de laisser travailler en paix...

Cette employée a aussi travaillé dans le couvent, mettant en place les expositions. À ses dires, certains moments étaient plus inquiétants que d'autres.

«Je préparais les expositions du lendemain. Au couvent, j'entendais des craquements, des bruits sourds, pas bien

> «Alors, pour être en paix, je parle avec les possibles fantômes de religieuses.»

agréables. Alors, je mettais de la musique pour étouffer ces sons étranges. On ne se sent pas très à l'aise au couvent, et je ne suis pas la seule à dire cela! Des jeunes de l'entretien ménager ont même mentionné avoir entendu le piano jouer une certaine nuit. Alors, pour être en paix, je parle avec les possibles fantômes de religieuses.

Je sais que quelques-unes sont décédées sur place. Je leur dis : "Vous là, ne me dérangez pas, laissez-moi faire mon travail." Vous savez, les religieuses, elles peuvent être malignes, alors je ne leur fais pas confiance, même mortes.

J'ai quand même eu bien peur, une fois. Je ne sais pas si ça a été causé par le système de chauffage, mais j'ai ressenti une grosse bouffée de vent et je me suis bien demandé d'où ça pouvait venir. Je n'ai vraiment pas aimé ça !

 «Moi, quand j'ai peur, je ne pose pas de questions, de crainte d'avoir une réponse que je ne veux pas savoir.»

Mais là, j'avais mon travail à finir, j'ai pris sur moi et j'ai dit tout haut : "Laissez-moi tranquille !" J'étais entourée de photographies encadrées des religieuses. Il y en a une qui a l'air plus dérangeante et plus épeurante que les autres, alors j'ai recouvert sa photo d'une couverture pour ne plus la voir. Ça s'est calmé, j'ai pu terminer mon travail en paix finalement.»

Val-Jalbert, la nuit

Un autre témoin important, gardien de nuit de 2002 à 2005, se souvient aussi de plus d'un frisson dans le dos.

«Je travaillais la nuit et je peux vous dire que je n'aimais pas vraiment faire ma ronde dans l'ancien moulin. Les premières années, ce n'était pas évident parce qu'il n'y avait même pas d'éclairage et je devais me déplacer avec une lampe de poche. Ils ont installé des lumières par la suite. Dans le moulin, il y avait tout le temps des craquements, des bruits inconnus qui ne me plaisaient pas. Une fois, je suis entré dans une grande salle où il y avait des rideaux suspendus. Il n'y avait aucune fenêtre ouverte, aucun courant d'air possible, et pourtant le rideau s'est tout d'un coup mis à bouger tout seul. Une autre nuit, vers les trois heures du matin, j'ai eu vraiment peur. Je m'apprêtais à entrer dans le moulin en débarrant la porte quand un gros coup très fort a été donné en plein milieu de cette porte-là, juste de l'autre côté. Comme un gros coup de poing.

J'ai sursauté quelque chose de rare! Mais il fallait que j'entre quand même... Ça ne me tentait vraiment pas. J'ai pris mon courage à deux mains et j'ai ouvert la porte. Il n'y avait rien de l'autre côté. Rien du tout.»

L'homme n'est pas le premier à affirmer qu'une ambiance mystérieuse enveloppe le village de Val-Jalbert. Que ce soit au cimetière ou dans la fameuse Maison des Travailleurs où l'on entend des craquements incessants – «Je la trouvais bizarre, cette maison-là, elle m'a souvent donné des frissons, je n'aimais vraiment pas y entrer la nuit, je ressentais toujours quelque chose de désagréable» –, le village suscite toujours autant de questions à propos de ces phénomènes étranges. Le gardien a eu, lui aussi, son lot d'anecdotes troublantes au fameux couvent.

«La chaise berçante de la chambre à coucher des sœurs, au 2e étage du couvent, je l'ai vue bercer toute seule plus d'une fois. Tellement qu'à un moment donné ça ne me tentait plus de me rendre jusqu'à cette chambre. Il y avait deux lits et la chaise au milieu. Je montais là, le soir, vers 11 h ou minuit, puis j'entendais son craquement sur le plancher.

Elle berçait vraiment toute seule!

Je n'aimais pas ça.

Il y en a qui ne me croyaient pas quand je leur en parlais. Mais c'était bien vrai. Qu'est-ce qui pouvait bien provoquer ça? Je me le suis demandé souvent. La pression de mes pas sur le plancher de bois?»

Certaines nuits, l'homme proposait à des vacanciers du terrain de camping de l'accompagner dans sa ronde.

«Je leur faisais visiter le village la nuit. Ça donnait une tout autre ambiance. Je me souviens de deux filles que j'avais laissées en haute ville pour les reprendre plus loin. Elles m'ont dit qu'elles n'avaient pas aimé l'expérience et qu'elles préféraient retourner tout de suite au camping. Elles n'avaient que mis les pieds dans l'entrée du couvent et ne voulaient pas aller plus loin. L'une des deux disait ressentir quelque chose d'anormal qui la rebutait. À un autre moment donné, j'ai emmené un visiteur au moulin. On a entendu un gros bruit bizarre au sous-sol.

«Le sous-sol du moulin, c'était vraiment pas un lieu fréquentable en pleine nuit. Je l'évitais. Il y avait tout le temps des bruits suspects. »

On est allés voir et on n'a jamais trouvé ce qui avait pu causer ça. »

Enfin, comme on ne peut que le constater, le Village historique de Val-Jalbert semble avoir un passé qui le hante inexorablement. Quoi qu'on en dise, qu'elles suscitent des sourires ou des sueurs froides, les mystérieuses manifestations qui s'y produisent risquent fort de continuer de faire jaser encore longtemps.

Et il en va de même au sujet des deux autres villages fantômes dont nous parlerons dans les prochaines pages.

Les différents types de fantômes

Pourquoi certaines âmes restent-elles attachées au monde terrestre ? En voici les principales raisons.

- La personne est morte de façon tragique et, ne sachant pas qu'elle est morte, elle erre sans fin.

- L'âme revient auprès des vivants pour leur apporter un message[4], les avertir d'un danger ou leur dire qu'elle a trouvé le repos.

- L'esprit peut vouloir consoler un être affligé et l'apaiser dans sa douleur.

- Il arrive que l'esprit revienne protéger un enfant à qui il apparaît sous la forme d'un «ami imaginaire».

- Certains esprits taquins viendraient même jouer des tours, paraît-il !

- Un esprit peut revenir se venger d'une insolence, d'une injustice ou d'un crime perpétré à son égard.

- L'esprit frappeur, aussi appelé *Poltergeist*, très bruyant, souvent violent, peut faire voler des objets en éclats, en lancer ou en faire disparaître. Il peut même entrer en possession d'un corps, dit-on. On ne connaît pas ses desseins, qui peuvent être variés, mais il demeure la plus terrifiante des manifestations spectrales.

- Un fantôme gentil peut venir témoigner de son amour à la personne aimée qu'il a quittée ou venir la protéger dans son quotidien.

- Des esprits jaloux peuvent venir hanter la vie de leur conjoint qui a trouvé l'amour dans les bras d'une autre.

- Un être qui ne voulait surtout pas mourir peut s'être accroché désespérément à la vie jusqu'à la dernière minute et son âme ne veut plus quitter ce monde.

ODE AUX ÂMES TRISTES

Lieu : Saint-Ignace-du-Lac
Apparitions : les âmes du cimetière englouti

> *« Après s'être exilées du côté de l'Abitibi,*
> *une cinquantaine de personnes [de Saint-Ignace-du-Lac]*
> *sont mortes la première année,*
> *ça mourait de peine pis de misère.*
> *Les vieux, ceux qui avaient 60 ans*
> *– c'étaient des vieux dans c'temps-là –,*
> *ils sont tous morts dans la première année. »*
>
> Simone Dugas Marcil
> Extrait de l'émission *Le village englouti*,
> série *Histoires oubliées III*[11]

Des pièces de cercueil, des ossements d'enfants, une omoplate, un crâne humain... il arrive encore que le lac Taureau rejette sur ses rives de tels témoignages du drame de Saint-Ignace-du-Lac. Avant sa triste disparition, Saint-Ignace-du-Lac a été un joli village prospère. Les premiers colons arrivés sur place vers la fin du XIXe siècle ont travaillé dur au défrichage de leur coin de terre. Bientôt, quelque 125 familles se sont établies autour de la lame de terre entre les lacs Ignace et Barré, dans cette région encore très sauvage.

Saint-Ignace-du-Lac[12] a vu officiellement le jour le 24 juin 1904. En 1915, ils étaient déjà plus de 400 colons vivant dans des maisons construites à la sueur de leur front. Le village est vite devenu prospère avec son moulin à scie, son moulin à farine, sa petite centrale électrique, son système d'aqueduc, son école, ses magasins généraux et autres commerces florissants.

Pourtant, vingt-six ans plus tard, le progrès allait avoir raison de son existence paisible. Le 28 août 1928, la Shawinigan Water & Power Company achetait la petite compagnie locale Matawin Power et décidait de construire un immense barrage sur la rivière Matawin afin de maximiser la production d'électricité que fournissait en quantité plutôt locale le barrage en place en ce temps-là. Malheureusement, le village de Saint-Ignace-du-Lac, qui faisait le pont entre le lac Barré et le lac Ignace, se trouvait en pleine trajectoire du vaste réservoir qu'on allait créer pour alimenter le barrage.

Le village allait être englouti volontairement pour constituer ce plan d'eau.

On déplace les sépultures

En mai 1931, après avoir obtenu de l'évêque l'autorisation de déplacer les sépultures de leur cimetière, les villageois ont entrepris un rituel émouvant. De nouveaux cercueils ont été construits afin d'accueillir les restes exhumés qu'on a ensuite transportés par camion jusqu'au cimetière de Saint-Michel-des-Saints. La cérémonie fut d'une tristesse inouïe.

Quant aux corps non réclamés, ils demeurèrent tristement enterrés là. Puis, ce fut au tour des quelque 700 colons de quitter leur village à jamais.

Des familles entières, debout sur les balcons de leurs maisons qui allaient bientôt être détruites, pleuraient à la vue du cortège funèbre.

Que de pleurs, que d'angoisse, que de déchirement, cela provoqua-t-il!

En septembre 1931, Saint-Ignace-du-Lac allait définitivement disparaître dans les eaux profondes de l'immense réservoir du lac Taureau.

Sonnez, cloches de l'église !

Les habitants de Saint-Ignace-du-Lac ont abandonné leur village, le cœur bien lourd. Plusieurs n'ont pas survécu à cet exil forcé vers l'Abitibi, Montréal, Joliette et même les États-Unis.

D'ailleurs, on va jusqu'à dire que les âmes des disparus hanteraient toujours les lieux. Souvent, des plaisanciers voguant en chaloupe sur le lac Taureau prétendent entendre des pleurs de femmes et d'enfants.

Certains disent même avoir aperçu des pierres tombales au fond du lac par temps ensoleillé, quand l'eau est à son plus clair. Parfois, les soirs de brume printanière alors que le réservoir est au niveau le plus bas, l'ombre souvenir de l'église – qui fut en réalité déménagée dans la paroisse de Saint-Michel-des-Forges près de Trois-Rivières – laisserait poindre ses deux clochers du fond de

Souvent, des plaisanciers voguant en chaloupe sur le lac Taureau prétendent entendre des pleurs de femmes et d'enfants.

l'eau, et faire entendre ses tintements tristes en mémoire de ses pauvres habitants disparus. Cela s'avère encore plus étrange quand on sait que l'église avait été érigée sur un promontoire, au cœur du village. Aujourd'hui, ce site toujours à sec au milieu du lac Taureau a donné naissance à l'île du Village, où subsistent encore quelques vestiges de l'église. Mais, qu'on se le dise et qu'on se permette encore d'y croire, témoins obligent, les cloches de cette charmante petite église d'autrefois ne semblent pas avoir fini de retentir du fin fond de leur éternité, telle une plainte impérissable !

Les différents visages des fantômes

On connaît les différentes manifestations qui peuvent indiquer la présence d'un fantôme: brise fraîche, souffle, voix dans l'oreille, mouvement d'objets, objets disparus, coups sur les murs, sensations d'étouffement, etc. Mais qu'en est-il des différents visages ou formes qu'adoptent les fantômes?

Voici quelques-uns des aspects les plus souvent cités par les témoins.

1. Une forme blanche et diaphane à travers laquelle on peut même voir.

2. Une boule de lumière qui s'évapore aussi rapidement qu'elle est apparue.

3. Un brouillard diffus et presque imperceptible, comme un mirage.

4. Une forme passagère et sombre, voire noire.

5. Une forme humaine très lumineuse.

6. Le corps d'une personne visible très clairement, portant souvent des vêtements bien reconnaissables.

7. Des parties de corps, une tête ou un buste, ou seulement un bras, des mains, des ongles, ou encore un regard.

8. Enfin, autrefois, on disait même qu'une étoile filante était le signe qu'une âme venait de quitter son corps!

L'idée de représenter les fantômes recouverts d'un drap blanc viendrait du fait qu'autrefois on enveloppait les morts d'un suaire d'une pureté immaculée avant de les déposer dans leur sépulture.

LE VILLAGE ENGLOUTI

Lieu : Saint-Jean-Vianney
Apparitions : âmes des victimes du glissement de terrain

---

31 morts

42 maisons englouties

Quelque 2 000 personnes désespérées...

Dans la nuit du 4 au 5 mai 1971, la moitié du village de Saint-Jean-Vianney[13] glissait dans un immense gouffre boueux de 45 m de profondeur. Entre deux articles intitulés «Saint-Jean-Vianney, un village de 2 315 âmes où il fait bon vivre[14]» publié en 1967 et «Cataclysme au Saguenay[15]» publié en 1971, quatre années ont séparé un bonheur paisible d'une tragédie sans précédent.

La force dévastatrice de ce glissement de terrain a détruit en quelques minutes maisons, voitures, autobus, emportant dans une mort tragique des familles entières. Une fois recueillis par les sauveteurs, les sinistrés en état de choc étaient encore ébranlés face à leur impuissance de n'avoir pu répondre aux cris d'angoisse de leurs voisins en détresse entraînés dans le torrent de vase meurtrier à quelques mètres d'eux.

À la vue de leurs enfants emportés par la boue, des mères voulaient s'élancer à leur secours. Des êtres solitaires cherchaient leur famille perdue, d'autres assis par terre hurlaient leur désespoir.

Les gens qui ont perdu des proches dans cette tragédie ont eu grand mal à apaiser leur douleur. Certains ont longtemps craint d'emprunter une route endommagée par une simple fissure dans sa chaussée, d'autres ont fait pendant des années des cauchemars récurrents.

On se souvient encore que, cette nuit-là et les suivantes, des cris désespérés et d'ultimes appels à l'aide ont longtemps écorché le silence lugubre des lieux. Des hurlements poignants s'étouffant soudain sous des craquements sinistres et des grincements métalliques infernaux.

On n'oubliera jamais...

Malgré tout, le temps a passé. Certains plaies ont fini par se cicatriser un peu. D'autres pas.

L'emplacement vacant de Saint-Jean-Vianney est aujourd'hui devenu le terrain de jeu d'amateurs de quatre-roues qui en apprécient le sol toujours aussi meuble. Si on s'attarde sur place, on peut distinguer la cuve du cratère fatal. Et si on prête encore plus d'attention, on dit qu'on peut y entendre, dans le silence de la nuit, des pleurs d'enfants tourmentés, des larmoiements de femmes inconsolables, et y ressentir parfois des brises fraîches et soudaines ainsi que des coups de vent inattendus.

Espérons quand même, par humble respect pour les sinistrés encore vivants, que ces âmes tristes finiront un jour par reposer en paix.

Certaines âmes n'ayant pu quitter ce monde dans l'harmonie, hanteraient-elles ces lieux à jamais dans l'espoir d'y retrouver leurs êtres chers?

Connaissez-vous les lueurs sismiques ?

Le sismologue et géophysicien Reynald Du Berger nous explique que des phénomènes lumineux parfois étranges sont souvent associés aux tremblements de terre. Les lueurs sismiques sont les fameuses boules de feu que certains déclarent avoir vues.

Le 25 novembre 1988, au moment du tremblement de terre du Saguenay, des enfants qui jouaient dans une grange ont vu le sol se fissurer et laisser filtrer une lumière très dense. Un jeune travailleur forestier qui travaillait en pleine nuit un peu plus au nord a aussi vu des boules de feu se diriger vers lui à une vitesse folle. Il s'en est tiré avec une frousse terrible.

Mais que sont ces imprévisibles boules de lumière ?

Bien que ces phénomènes puissent sembler ésotériques au départ, Reynald Du Berger, ingénieur, géophysicien, professeur titulaire retraité de l'Université du Québec à Chicoutimi, relie plutôt cette activité lumineuse à la piézoélectricité. La piézoélectricité est la propriété de certains corps de se polariser électriquement sous l'action d'une pression plus ou moins grande. La roche se compose en partie de quartz, un minéral piézoélectrique – utilisé justement dans les montres pour cette propriété. S'il est comprimé et détendu par la suite, le quartz va engendrer une relaxation d'énergie qui à son tour va susciter des charges électriques énormes. Ces charges électriques peuvent produire des phénomènes lumineux qui ressemblent parfois à des éclairs. Les scientifiques s'attardent notamment au fait que ce pourrait être un excellent signe avant-coureur d'un

tremblement de terre imminent, car ces boules de feu se produiraient parfois juste avant un séisme.

En ce sens, de récentes expériences en laboratoire ont permis d'émettre une théorie fort intéressante au sujet de ces lueurs ou feux sismiques, basée sur le stress tectonique et les charges potentielles de certaines roches.

Cette théorie élaborée par Friedemann Freund, appuyé entre autres par France St-Laurent du Québec et John Derr du United States Geological Survey, jette une nouvelle lumière sur ces phénomènes ressemblant à des jets lumineux qui jaillissent du sol, pouvant aller jusqu'à évoquer des fantômes pour certains témoins.

Freund et ses collaborateurs expliquent que les roches ignées, formées par le refroidissement du magma venant des profondeurs de la terre, et certaines roches métamorphiques qui, elles, ont été transformées par de fortes pressions et chaleurs dans la croûte terrestre, contiennent d'importantes charges électroniques dormantes. Dès qu'il y a augmentation du stress sur la croûte terrestre, certaines dislocations brisent les liaisons moléculaires dans les minéraux constituant ces roches et activent les charges qui y étaient dormantes. Cela provoque instantanément un courant de «trous». Ces trous électroniques peuvent se déplacer à une vitesse maximale d'environ 200 m par seconde et se retrouver loin de la région où ils ont été créés, parfois même à plusieurs dizaines de kilomètres. Plus le stress est grand, plus nombreuses seront les charges qui se disperseront. Si ces charges ne peuvent se dissiper par un bon conducteur dans le sol, leur densité sera telle qu'une ou des décharges atmosphériques pouvant atteindre une hauteur de quelques mètres à plusieurs dizaines de mètres se manifesteront. Les formes qu'elles prennent alors sont variables: bandes horizontales ou verticales plus au moins déformées, sphères mobiles ou non, etc. Leur durée varie de quelques secondes à plusieurs centaines de secondes. À noter que ces phénomènes lumineux peuvent être observés avant, pendant et après un tremblement de terre. Il est possible que si le tremblement de terre ne se produit pas, quelques formes lumineuses soient quand même observées.

Cette photo de lueurs sismiques a été prise le 23 mars 1977 non loin de Brasov, en Roumanie, à environ 90 km de l'épicentre du séisme d'une magnitude de 7,2 survenu à Vrancea le 4 mars précédent. Bien qu'elle soit floue, cette photo de colonnes de lumière prise par un certain Mihai Danciu est unique et très rare. (Gracieuseté de György Mandics, de Hongrie, et de France St-Laurent, du Québec.)

LES NAVIRES FANTÔMES

Lieu : fleuve et golfe Saint-Laurent
Apparitions : anciens navires ayant sombré,
habités d'âmes errantes

« Qui, d'un vol plus bruyant et plus prompt que l'éclair
Un navire céleste à l'étrange figure,
Couvrant un pan des airs de sa vaste envergure
[...]
Jusqu'au soir, sous la lune, au doux roulis de l'air
Comme un oiseau qui part de la branche ébranlée
La barque s'éleva vers la voûte étoilée »

Extrait du *Fragment du Livre primitif*
Huitième vision
Alphonse de Lamartine (1790-1869)

« De nombreux bateaux fantômes se montrent à proximité des ports durant la Toussaint ; on peut les voir, chargés de spectres de marins, qui reviennent ainsi voir les lieux où ils ont vécu. Ces bâtiments sont tellement remplis d'âmes qu'ils menacent de couler[16]. »

Vous êtes au bord de l'eau, le fleuve est calme, la brise est douce. Au loin, vous voyez voguer un grand navire lumineux, ses trois mâts toutes voiles ouvertes. Un navire qui semble ancien, bien ancien et plutôt... diaphane.

Puis, soudain, il disparaît sous vos yeux !

Comme il était apparu !

Connaissez-vous les navires fantômes ?

Ces grands vaisseaux disparus dans les abîmes réapparaissent parfois sur l'onde, dit-on. Et cela ne daterait pas d'hier. Les Irlandais parlaient déjà de tels navires fantastiques au Moyen Âge, les Hollandais avaient leurs récits de grands vaisseaux fantômes au XVIIᵉ siècle, les Français évoquaient de grands navires fantômes sans âge, et les Juifs d'Alger, d'immenses vaisseaux miraculeux[17].

Sur nos eaux québécoises

Au Québec, les premières mentions d'apparitions similaires remonteraient au XVIIᵉ siècle. La population parlait d'abord de canots-en-feu qui voltigeaient dans les airs[18]. Premiers vestiges des futurs vaisseaux fantômes, ces interminables canots en flammes sont cités à quelques reprises dans les écrits de l'époque. Par contre, les premiers véritables vaisseaux fantômes dateraient plutôt du temps de l'établissement des Loyalistes, au début du XVIIIᵉ siècle et surtout à partir du milieu du XIXᵉ siècle, période où les grands navires à voiles ont vraiment connu leur âge d'or. Par le fait même, le nombre de naufrages a dramatiquement augmenté au même moment.

On dit qu'on les aperçoit au loin, en feu, grands bâtiments lumineux ne perdant pas leur intensité et disparaissant tout aussi mystérieusement qu'ils sont apparus, toujours aussi inaccessibles à qui voudrait les approcher.

Nombreux sont ces «bateaux-de-feu», «bateaux-sorciers» ou «bateaux-de-lumière» qui navigueraient encore sur nos eaux et effraieraient les témoins sur la rive.

Navires disparus en tempête

Au XIXᵉ siècle, on a longtemps parlé du *Packet Light*, l'un des navires les plus mystérieux et insaisissables de l'histoire, disparu au cours d'une violente tempête dans le golfe du Saint-Laurent[19].

À cette époque, l'Île-du-Prince-Édouard avait elle aussi recueilli plusieurs histoires de vaisseaux fantômes alors que des habitants de Canoe Cove, Glengarry, Campbellton, Murray Harbour et Burton affirmaient avoir vu, ici ou là, de grands navires lumineux filer à des vitesses inouïes sur les eaux[20].

Le 6 mai 1843, on relatait un autre fait plutôt étrange survenu dans la ville de Québec où «des gens de la rue Saint-Louis avaient pu apercevoir un vaisseau, toutes voiles déployées, flottant au-dessus de la ville[21]».

Certains habitants de Charlesbourg l'auraient même vu voler dans leur ciel, plus tard en soirée, dit-on!

Le XXᵉ siècle allait connaître lui aussi son lot d'apparitions spectrales maritimes. Un certain Simon Desrape, né vers 1873 aux Îles-de-la-Madeleine, racontait dans les années 1900 à qui voulait bien l'entendre avoir «aperçu un grand bateau tout illuminé qui filait vers le nord, non pas sur l'eau mais sur la côte, sur le sable. Il l'avait regardé aller jusqu'à ce qu'il le perde de vue[22]».

Entre 1934 et 1947, deux hommes de New Richmond, en Gaspésie, citaient également l'apparition d'un mystérieux bateau lumineux dans la baie: «un bateau fantôme tout en flammes et naviguant à pleines voiles[23]», ou un «bateau illuminé, équipé de mortiers et lançant des boulets[24]».

Une femme qui aurait elle aussi aperçu ce même navire étrange ajoutait en avoir distingué les hublots.

Et les spectacles du genre ont continué de plus belle. En novembre 1957, un groupe observa un grand steamer tout illuminé qui voguait paisiblement non loin de Hampton, à l'Île-du-Prince-Édouard. Un professeur, en excursion de pêche en mer «en 1961, aurait aperçu un grand bateau-en-feu et aurait tenté de l'atteindre, mais sans succès, naturellement![27]»

Saviez-vous, enfin, qu'on dit que les marins morts en mer reviendraient toujours à bord de leur navire hanter les eaux de leur dernier soupir?

Selon d'anciennes croyances, les noyés dont les corps n'auraient pas été enterrés au cours d'une cérémonie funéraire officielle erreraient pour l'éternité, en quête d'une sépulture sur la terre ferme.

On raconte qu'autrefois certains marins superstitieux transportaient même avec eux une poignée de terre de leur coin de pays, ce qui, paraît-il, contrait le mauvais sort de cette errance infinie.

La légende du rocher Percé

Le rocher Percé, en Gaspésie, a aussi inspiré cette belle histoire de vaisseau fantôme.

Une jeune femme amoureuse, Blanche de Beaumont, avait quitté la Normandie pour venir rejoindre son prétendant en Nouvelle-France. Or, à la fin de la traversée, le navire à bord duquel elle prenait place fut attaqué par des pirates. Blanche fut enlevée. Le jour où le chef des pirates décida d'en faire sa femme, Blanche, désespérée, se jeta à l'eau.

Mais la mort de la belle n'allait pas être vaine. Le lendemain matin, à la grande crainte de l'équipage, le navire se dirigeait mystérieusement vers le colossal rocher Percé, en Gaspésie. «Sur son sommet, [...] ils virent apparaître, vêtue de longs voiles blancs, l'ombre de Blanche de Beaumont. [...] Blanche leva les mains, comme pour faire descendre du ciel, sur le navire corsaire et ses passagers, des malédictions vengeresses. À l'instant même, le vaisseau et ses pirates se pétrifièrent. [...] Depuis, les mouettes et les goélands voltigent, en geignant, autour du vaisseau-fantôme mais ne s'y reposent jamais.[28]»

LES FANTÔMES
DE GRANDS CHEMINS

**Lieux : routes et autoroutes
Apparitions : âmes errantes de victimes
d'accidents de la route**

Certaines de nos routes seraient également hantées, semble-t-il. Les âmes de certaines personnes ayant perdu la vie dans un accident de la route erreraient éternellement sur ces chemins, dans l'espoir de retrouver leur voie ou de terminer leur voyage.

Le pouceux de Manseau

Le grand festival hippie de Manseau, petite ville au nord de Plessisville dans la région du Centre-du-Québec, était prévu pour les 1er, 2 et 3 août 1970. L'événement a plutôt laissé un mauvais souvenir pour mille et une raisons que nous n'évoquerons pas ici. Par contre, ce qui retient notre attention, c'est que ce soir-là, un gars en route pour le festival aurait plutôt trouvé la mort sur la route 20, non loin de la sortie pour Plessisville, alors qu'il y faisait du pouce.

La légende raconte qu'il arrive depuis que des gens aperçoivent en bordure du chemin un drôle de bonhomme aux cheveux longs qui fait du pouce. S'ils le font monter, il se roule un gros joint de marijuana à bord de la voiture et demande qu'on le laisse ensuite descendre quelques minutes plus tard.

 D'autres racontent qu'il disparaît plutôt dès qu'une voiture s'arrête à sa hauteur pour le faire monter.

En tout cas, tout porte à croire que le fameux «pouceux de Manseau» est toujours en quête de celui qui le conduira une fois pour toutes à sa destination, le festival pop qu'il a raté à l'époque!

La dame blanche du parc des Laurentides

Elle apparaît toujours au même endroit. Près du restaurant L'Étape, sur la route 175 qui relie Chicoutimi à Québec. Elle est tout de blanc vêtue. Jeune femme seule, elle cherche son chemin, semble-t-il. Parfois elle ferait de l'autostop, parfois elle se tiendrait là, debout, regardant dans le vide sans bouger. On dit même que des passagers d'autobus l'auraient aperçue au bord de la route, que des chauffeurs se seraient arrêtés pour la faire monter à bord et qu'elle aurait disparu comme par enchantement dès qu'ils auraient ouvert la porte du véhicule. Le 24 janvier 2003, un certain Marjorie Desbiens d'Alma racontait ce qu'il a vu alors qu'il prenait place à bord d'un autobus : « [...] elle ne réagit pas à l'arrivée de l'autobus. Elle ne semble pas faire de pouce non plus. Elle a les mains dans les poches, elle ne se déplace pas, elle est immobile, elle a le regard fixe : elle regarde droit devant elle[29]. »

Et si l'on s'arrête, elle demande à être raccompagnée à... Québec, pour disparaître tout aussi rapidement qu'elle est apparue. Certains vont jusqu'à raconter que ce serait le fantôme d'une pauvre jeune fille morte dans un accident de voiture sur cette route dans les années 1980 et qui rêverait éternellement et tout simplement de retourner une fois pour toutes chez elle.

✾ Attention, danger !

On dit que certaines âmes qui errent sur les routes pourraient être des anges gardiens qui, croit-on, à l'approche d'une courbe dangereuse ou d'une chaussée glissante par exemple, surviendraient subitement dans le but d'avertir le conducteur d'un éventuel danger.

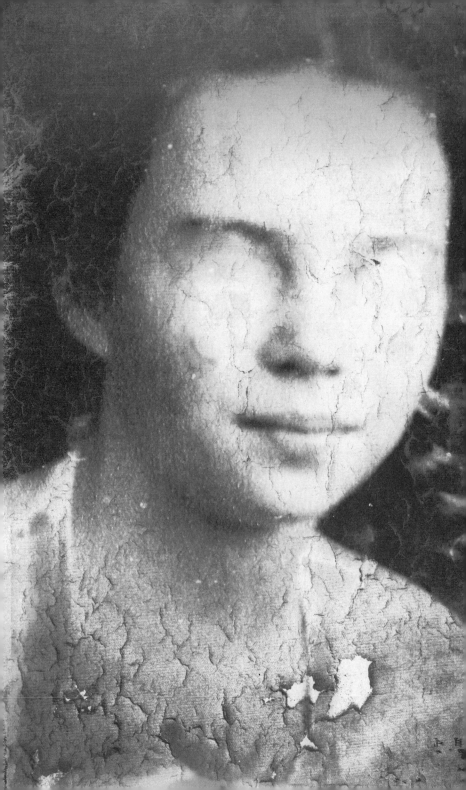

CONCLUSION

Alors, qu'en pensez-vous, les fantômes existent-ils vraiment?

En avez-vous déjà côtoyé un? Avez-vous déjà ressenti ce frisson glacial au son d'un bruit suspect, le soir d'une nuit sans lune? Sinon, vous avez certainement autour de vous un parent, un ami, un voisin qui vous a déjà raconté une telle histoire. Tous les coins du Québec semblent abriter des fantômes qui sommeillent et qui s'agitent aux moments les plus inopinés. Une multitude de légendes transmises de génération en génération continuent de rendre célèbres ces spectres.

Dans la Beauce où la tradition orale est demeurée bien vivante, on évoque encore, le soir près du foyer, le fantôme du bûcheron perdu ou celui de l'homme sans tête[31]. En Gaspésie, qui n'a pas vu un jour un fantôme des grèves? Dans les Laurentides et la région de Lanaudière, l'histoire du prêtre fantôme alimente encore les dires de bien des conteurs. Du côté du Bas-Saint-Laurent, la légende de l'Île au Massacre hantée par une tribu entière de Micmacs tués par des Iroquois et citée par des guides accompagnateurs du parc du Bic, suscite toujours autant d'intérêt auprès des visiteurs. Que ce soit des fantômes issus de légendes patrimoniales ou des spectres sortis tout droit de témoignages de gens ébranlés par leur lugubre présence, il est bien clair que ces êtres de l'au-delà font toujours autant parler d'eux.

Or, plusieurs des cas de ce livre, dont certains sont encore à ce jour inexpliqués, tendent également à confirmer qu'ils existent vraiment. Les manifestations paranormales provoquent toujours autant de frayeur chez la plupart des témoins qui ne savent que faire de telles situations. Les mêmes peurs, les mêmes questionnements, les mêmes doutes sont toujours là, d'hier à aujourd'hui. De la mention des premiers fantômes dans les anciennes écritures, comme celui du perfide prince Pausanias ayant hanté le temple d'Athéna après y être mort en l'an 477, aux faits vécus bien actuels racontés dans ce livre, rien ne semble avoir beaucoup changé et tout nous pousse à continuer nos investigations pour tenter de mieux comprendre cet univers parallèle. Plusieurs personnes désemparées, comme Johanne dont le cas est présenté au début de ce livre, cherchent toujours de façon désespérée des solutions à leur situation insupportable.

Il y a encore peu de ressources fiables et efficaces vers qui se tourner. Pour certains, la rencontre d'un passeur d'âmes sera enfin le baume salvateur qu'il leur fallait; pour d'autres, ce sera le chemin de la psychiatrie et de la médication. Pour quelques-uns, ces rencontres paranormales ouvriront plutôt la voie d'un apprentissage spirituel qui les fera grandir. Ainsi, certains auront trouvé la paix intérieure, d'autres continueront à avoir du mal à se départir de leurs visiteurs encombrants.

Espérons que ce livre en aidera quelques-uns, qu'il leur fera prendre conscience qu'ils ne sont pas seuls, qu'il y a de l'aide et des solutions possibles à leurs tourments.

Et si un jour, ou plutôt un soir, vous assistez à un tel fait étrange,

**vous n'aurez peut-être plus le choix
de vous poser la question :**

APRÈS TOUT, SI C'ÉTAIT VRAI ?

LES SCEPTIQUES
ENQUÊTENT

Est-ce que les faits inexpliqués que vous vivez sont réels ou pas? Hugo Fournier, membre de l'association des Sceptiques du Québec, travaille à former une équipe d'enquête qui se déplacera sur le terrain pour élucider avec une approche sceptique et scientifique des cas de hantise, ou du moins aider les familles à mieux comprendre les phénomènes qu'elles vivent à partir d'outils scientifiques et réalistes. L'équipe mettra tout en œuvre pour donner les ressources qui permettront d'appliquer tous les principes réalistes et scientifiques avant d'en venir à la conclusion que les phénomènes survenus dans une maison sont ou non inexplicables.

Pour plus de détails : hcarpediem@hotmail.com

ou les Sceptiques du Québec : info@sceptiques.qc.ca ou www.sceptiques.qc.ca

 Une bourse de 10 000 $

Les Sceptiques du Québec offrent une bourse de 10 000 $ à quiconque pourra prouver l'existence de fantômes sans équivoque ou d'un phénomène paranormal observable et vérifiable expérimentalement. Plusieurs dizaines de candidats ont tenté jusqu'ici l'expérience sans succès.

Pour en savoir plus sur le Défi sceptique : www.sceptiques.qc.ca

REMERCIEMENTS

Plusieurs personnes ont contribué au succès de l'écriture de ce livre. Partir en quête de témoins de tels faits demande d'établir des liens privilégiés de confiance. Merci à vous, que je ne peux tous nommer ici, qui avez participé de près ou de loin à la récolte de ces fascinantes histoires et qui m'avez mise en contact avec certaines de ces personnes Surtout, un immense merci à celles et ceux qui m'ont confié leurs histoires. Certains d'entre vous le faisaient pour la première fois et en exclusivité, et je vous remercie du fond du cœur pour votre confiance.

Merci à Pierre-André pour sa complicité, sa grandeur d'âme et la paix qui nous enveloppe à son contact! Merci de m'avoir fait connaître cette dame dont l'histoire, exclusive et exceptionnelle, est bouleversante.

Merci à Josée, ma douce belle-sœur, pour cette rencontre unique et émouvante avec Connie. Son témoignage est un pur rayon de soleil dans ce livre!

Merci à Ariane pour sa gentillesse et... ses photos!

Merci à madame Asselin et à tous les généreux collaborateurs du Village historique de Val-Jalbert, pour leur patience, leur professionnalisme et leurs nombreuses anecdotes.

Un grand merci également aux employés minutieux des nombreuses sociétés d'archives du Québec et au personnel passionné des lieux historiques, car leur gentillesse, leur disponibilité et la qualité de leurs services ont grandement alimenté mes recherches. Merci aussi à mes collègues des Associations touristiques des différentes régions du Québec, pour leur amicale générosité. Merci enfin à ces chers historiens volubiles, messieurs Bertrand Bergeron et Christian Morissonneau, qui en avaient tant à me raconter.

Merci au psychiatre Brian Bexton et à l'ingénieur Reynald Du Berger pour leurs données scientifiques pertinentes.

Merci à Hugo pour son scepticisme et pour son coup de main.

Merci à Michel qui a donné vie à ce projet fou et fabuleux; à Paul pour son oeil de lynx; à Céline et Sandy pour leur généreuse créativité; à Johanne, pour son expérience, sa clairvoyance et... notre connivence!

Finalement, merci à Benoît, mon amoureux, pour sa patience, son cœur qui bat si près du mien et ses éternels encouragements.

CRÉDITS PHOTO

Couverture: Shutterstock

p. 66: Julie Gascon

p. 68: Gilles Roux

p. 70: Musée québécois de culture populaire et Vieille Prison de Trois-Rivières

p.74: Gracieuseté ANQC, Fonds Lemay

p. 80, 82, 84 (photo principale): Jean-Louis Frenette

p. 84 (médaillon): Gracieuseté de la Société d'histoire de la Côte-Nord

p. 96: Gracieuseté de Carole Asselin, MRC du Domaine du Roy, Fonds de Val-Jalbert

p. 98: Val-Jalbert photo ancienne (après 1926) Collection Jean Gagnon PB14, photographie de J.-E. Chabot

p. 100: Ariane Gélinas

p. 113 (médaillon): Gracieuseté de la Photothèque nationale de l'air, Ottawa

p. 113: Gracieuseté de Gilles Rivest

p. 116: André et Marc Ellefsen, ANQC

p. 119: Marc Ellefsen, mai 1971, ANQC

p. 123: Gracieuseté de György Mandics (Hongrie) et de France St-Laurent (Québec)

p. 5, 6, 12, 14, 16, 18, 21, 24, 25, 28, 29, 30, 33, 36, 42, 45, 46, 49, 51, 52, 55, 56, 58, 63, 65, 72, 76, 78, 79, 85, 86, 88, 91, 92, 95, 99, 102, 103, 104, 107, 108, 110, 121, 126, 128, 130, 132: Shutterstock

p. 8, 22, 27, 34, 38, 40, 42, 50, 59, 60-61, 115, 124, 129, 134: Dreamstime

BIBLIOGRAPHIE

ACHARD, Eugène. *La dame blanche du cap Diamant*, Montréal, Librairie générale canadienne, 1953, 79 p.

BERGERON, Bertrand. *Contes, légendes et récits du Saguenay-Lac-Saint-Jean*, Notre-Dame-des-Neiges, Éditions Trois-Pistoles, 2004, 274 p.

BERGERON, Bertrand. *Du surnaturel*, Notre-Dame-des-Neiges, Éditions Trois-Pistoles, 2006, 281 p.

BOIVIN, Aurélien et Françoise MORA. *Contes, légendes et récits de la région de Québec*, Notre-Dame-des-Neiges, Éditions Trois-Pistoles, 2008, 758 p.

BRASEY, Édouard. *Le guide du chasseur de fantômes*, Paris, Éditions Le Pré aux Clercs, 2006, 140 p.

CHIASSON, Père Anselme. *Légendes des Îles-de-la-Madeleine*, Moncton, Éditions des Aboiteaux, 1969, 123 p.

COHEN, Daniel. *Encyclopedia of Ghosts*, Londres, Michael O'Mara Books Limited, 1984, 307 p.

COULOMBE, Marylène. *Les morts nous donnent signe de vie*, Montréal, Éditions Édimag, 2005, 176 p.

COLLECTIF, textes réunis et commentés par Françoise Favre. *Les transparents, que savons-nous sur les fantômes?*, Paris, Éditions Tchou, 1978, 316 p.

CUSSON, Philippe. *Légendes laurentiennes*, Montréal, Éditions de l'Agence Duvernay, 1943, 159 p.

DAVIDSON, Wilma. *Au secours des esprits errants: guide simple pour entrer en contact avec les défunts et libérer les esprits errants*, Varennes, Éditions AdA, 2008, 329 p.

DENIS, Léon. *Après la mort*, Westmount, Éditeur Desclez, 1979, 262 p.

FAFARD-LACASSE, Elioza. *Légendes et récits de la côte nord du Saint-Laurent*, Montréal, Éditions Antoine Lacasse, 1937, 131 p.

GIBIER, Paul. *Les matérialisations de fantômes: la pénétration de la matière et autres phénomènes psychiques*, Saint-André-d'Acton, Éditeur R. et C. Bouchet, 1997, 93 p.

JACOB, Paul. *Les revenants de la Beauce*, Montréal, Éditions Boréal, 1995, 159 p.

JOLICOEUR, Catherine. *Le vaisseau fantôme, légende étiologique*, collection «Les Archives du Folklore II», Québec, Les Presses de l'Université Laval, 1970, 337 p.

LA CROIX, Robert de. *Vaisseaux fantômes et autres mystères*, Paris, Éditions Grands Caractères, 2006, 76 p.

LAPRATTE, Anick. *Se libérer des âmes errantes*, Loretteville, Éditions Le Dauphin Blanc, 2008, 196 p.

OUELLETTE, Annik-Corona et Alain VÉZINA. *Contes et légendes du Québec*, Montréal, Éditions Beauchemin, 2006, 333 p.

POMERLEAU, Gervais. *Saint-Jean-Vianney, village englouti*, Montréal, Éditions Humanitas, 1996, 241 p.

POTVIN, Damase. *Le Saint-Laurent et ses îles*, Montréal, Leméac, 1984 [éditions Garneau, 1945], 425 p.

RIVEST, Gilles. *Saint-Ignace-du-Lac, un rêve inondé: La naissance du lac Taureau*, Saint-Michel-des-Saints, éditeur Gilles Rivest, 1996, 136 p.

RONECKER, Jean-Paul. *B.a.-ba fantômes*, Puiseaux, Éditions Pardès, 2001, 127 p.

SCHMITT, Jean-Claude. *Les revenants, les vivants et les morts dans la société médiévale*, Paris, Éditions Gallimard, 1994, 306 p.

Filmographie

BOUCHARD, Jean-François. *Le village englouti*, (Saint-Ignace-du-Lac), série *Histoires oubliées III*, Montréal, les Productions Vic Pelletier inc, 2002.

Sites Web

Site sur Saint-Ignace-du-Lac : www.geocities.com/st-ignace/

Site du passeur d'âmes Pierre-André Pelletier : www.pierreandrepelletier.com

Pour en savoir plus sur la géobiologie : www.geobiologiequebec.com

La Maison du Verseau, Marylène Coulombe, auteure, médium et clairvoyante : www.lamaisonduverseau.com

NOTES

1. Source: Commission des champs de bataille nationaux, gouvernement du Canada.

2. Source: Jean-Paul Ronecker, *B.a.-ba fantômes*, Puiseaux, Éditions Pardès, 2001, p. 73 et 79.

3. Pour en savoir plus sur la géobiologie : www.geobiologiequebec.com

4. Annik-Corona Ouellette et Alain Vézina, *Contes et légendes du Québec*, Montréal, Éditions Beauchemin, 2006, p. 275.

5. Pour en savoir plus, consultez le site Web de Pierre-André Pelletier : www.pierreandrepelletier.com

6. Source: Hugo Fournier, association des Sceptiques de Québec.

7. Elioza Fafard-Lacasse, *Légendes et récits de la côte nord du Saint-Laurent*, Montréal, Éditions Antoine Lacasse, 1937, p. 16.

8. Sources: Commission des champs de bataille nationaux des plaines d'Abraham et Eugène Achard, *La dame blanche du cap Diamant*, Montréal, Librairie générale canadienne, 1953, p. 79.

9. Sources: Damase Potvin, *Le Saint-Laurent et ses îles*, Montréal, Leméac, 1984 [éditions Garneau, 1945], 425 p. et Aurélien Boivin et Françoise Mora, *Contes, légendes et récits de la région de Québec*, Notre-Dame-des-Neiges, Éditions Trois-Pistoles, 2008, 758 p.

10. Source: Fonds Village historique de Val-Jalbert PB 84 CADDR / SHR.

11. Jean-François Bouchard, émission *Le village englouti*, série *Histoires oubliées III*, les Productions Vic Pelletier inc.

12. Pour tout connaître sur l'histoire du village de Saint-Ignace-du-Lac: Gilles Rivest, *Saint-Ignace-du-Lac, un rêve inondé, La naissance du lac Taureau*, Saint-Michel-des-Saints, éditeur Gilles Rivest, 1997, 136 p. ou www.geocities.com/st-ignace/

13. Pour en savoir plus sur cette tragédie: Gervais Pomerleau, *Saint-Jean-Vianney, village englouti*, Montréal, Éditions Humanitas, 1986, 241 p.

14. *Le Réveil du Saguenay*, 9 août 1967.

15. *La Presse*, mercredi 5 mai 1971.

16. Édouard Brasey, *Le Guide du Chasseur de fantômes*, Paris, Éditions Le Pré aux Clercs, 2006, p. 129.

17. Catherine Jolicoeur, *Le vaisseau fantôme, légende étiologique*, collection «Les Archives du Folklore II», Québec, Les Presses de l'Université Laval, 1970, 337 p.

18. *Ibid.*, p. 95.

19. *Ibid.*, p. 41.

20. *Ibid.*, p. 83-84.

21. «Singular Phenomenon at Quebec», dans *Yarmouth Herald*, journal de Nouvelle-Écosse, 19 mai 1843, p. 2, cité par C. Jolicoeur, *op. cit.*, p. 79.

22. Père Anselme Chiasson, *Légendes des Îles-de-la-Madeleine*, Moncton, Éditions des Aboiteaux, 1969, p. 84

23. C. Jolicoeur, *op. cit.*, p. 90.

24. *Ibid.*

25. *Ibid.*

26. *Ibid.*

27. *Ibid.*, p. 105.

28. Philippe Cusson, *Légendes laurentiennes*, Montréal, Éditions de l'Agence Duvernay, 1943, p. 20.

29. Cité par Bertrand Bergeron dans *Contes, légendes et récits du Saguenay-Lac-Saint-Jean*, Notre-Dame-des-Neiges, Éditions Trois-Pistoles, 2004, p. 108.

30. *Ibid.*

31. Paul Jacob, *Les Revenants de la Beauce*, Montréal, Éditions Boréal, 159 p.